LA POUSSIÈRE DU MONDE

Du même auteur

Chemin faisant, Fayard, 1973, *id.,* nouvelle édition, 1997.

Les Gnostiques, Gallimard, 1973, Albin Michel, 1994.

L'Été grec, « Terre Humaine », Plon, 1976, Presses Pocket, 1984.

Les Hommes ivres de Dieu, Fayard, 1976, « Points Sagesses », Seuil, 1983.

Le Pays sous l'écorce, Seuil, 1980, « Points », Seuil, 1981, Éditions du Rocher, 1996.

Sourates, Fayard, 1982, « Espaces libres », Albin Michel, 1990.

L'Envol d'Icare, Seghers, 1993.

Sciences et Croyance : entretiens avec Albert Jacquard, « Dialogues », Écriture, 1994.

Marie d'Égypte ou le Désir brûlé, J.-C. Lattès, 1995.

Visages athonites, Le Temps qu'il fait, 1995.

Jacques Lacarrière

LA POUSSIÈRE DU MONDE

Je dédie ce livre

à la mémoire d'Abidine Dino
qui m'a guidé sur les chemins
anatoliens de Yunus Emré,

et à Guzine Dino qui a si
bien traduit ses chants mystiques.

« Est-il possible que toute l'histoire de l'univers ait été mal comprise ?

Est-il possible qu'en dépit de toutes les inventions et de tous les progrès, qu'en dépit de la civilisation, de la religion, de la philosophie, on en soit resté à la surface de la vie ? »

Rainer Maria Rilke,
Les Cahiers de Malte Laurids Brigge

La poussière du monde

« Balaie avec ton âme
devant la porte de l'Aimé.
Alors seulement tu devien-
dras son amant ! »

Abou Ali al-Daqqaq *

Comment dit-on poussière en ossète, en ourdou ou en swahili? Ce mot existe sûrement dans ces langues, comme dans toutes les langues. Sauf peut-être en esquimau. Poussière et glace ne s'accordent guère. La glace ne s'émiette ni ne s'effrite, elle fond, elle s'évanouit alors que la poussière ne disparaît jamais. Remuante, turbulente, insolente, elle ne cesse de virevolter, de papillonner, de saupoudrer la face du monde du fin réseau de ses cendres instables. Au début était le Voile, non le Verbe. Au début était la Poussière, chemineuse d'immensité, poudreux simulacre des astres, nuée de pollens inféconds. Comment lutter contre la poussière, comment la vaincre, la dissiper – elle qui jamais ne rit – puisqu'elle est une part de nous-mêmes, le volage et subtil visage de notre monde? On ne supprime jamais la poussière, on ne peut que la déplacer. Au cœur des souffles les plus fous, des trombes, des tornades, elle garde sa pérennité, voire sa sérénité, bien que fantasque et fluctuante. Elle est la complice du

vent qui d'abord la berce puis la disperse, la dissé-
mine, la rudoie, la tutoie peut-être. Qui l'étreint, qui
l'enserre avant de l'enlever, fiancée volatile, pour la
poser, la déposer en d'autres couches. En quelque
ailleurs où elle reformera aussitôt ses escouades
errantes, ses foules, ses houles sans cesse recom-
mencées, ses fantômes égrotants. Avez-vous jamais
regardé avec attention un faisceau de poussière fris-
sonner dans les rais du soleil sans que vous vienne
d'emblée à l'esprit l'image d'un ange en gestation,
s'efforçant de rassembler ses membres encore
informes, embrouillés avant que ces prouesses pul-
vérulentes, ce théâtre fiévreux ne finissent par une
Déposition sur le présent du monde ? Au début était
la Poussière. *In principio erat Pulvis.* La poussière est
théologique. C'est cela que je voulais dire.

Depuis très longtemps, pour ainsi dire depuis
toujours, Yunus vit au cœur de cette poussière sour-
noise qui l'agace mais aussi l'intrigue. A force de
s'élever sans cesse dans le brouhaha des troupeaux,
au moindre pas des hommes et au moindre souffle
du vent, elle finit par recouvrir toute chose ici, de la
cour à l'immensité de la steppe. D'où vient-elle et
comment se reproduit-elle ? Elle paraît toujours
neuve, engendrée par l'effritement constant du paysage, mais en fait elle est aussi vieille que la terre,
aussi vieille en tout cas que cette terre anatolienne
où vit Yunus, avec son horizon de montagnes bleutées, ses cimes placides ou enfiévrées selon que la

poussière les dénude ou les voile, ses chemins her-
bus, ses foules d'ânes, de moutons, de chameaux
dispersés pendant le jour sur le bistre damier de la
steppe ou massés à midi à l'ombre frêle des peupliers. Une terre qui se prolonge, se dilue vers les
étendues de l'Asie, les déserts de l'Iran puis ceux du
Khorassan, les steppes de la Transoxiane et de la
Mongolie. Oui, c'est de là que vient cette poussière
entêtée, de là-bas qu'elle apporte jusqu'au couvent
où vit Yunus, ce tekké de terre et de boue, son message tour à tour obstiné ou fébrile. Quel message?
La poussière a-t-elle vraiment quelque chose à nous
dire? Serait-elle la parole ou le souffle que prendrait
le temps pour survivre et les empires d'antan pour
nous informer, hâtivement, tardivement selon les
cas, de leur effritement? Aurait-elle une mémoire à
la façon des cendres, des cendres des amants inciné-
rés ensemble, de ceux « qui se sont aimés pendant
leur vie et se font inhumer l'un à côté de l'autre » et
qui ne sont pas « aussi fous qu'on pense. Peut-être
leurs cendres se pressent, se mêlent et s'unissent...
Que sais-je? Peut-être n'ont-elles pas perdu tout
sentiment, toute mémoire de leur premier état, peut-
être ont-elles un reste de chaleur et de vie dont elles
jouissent à leur manière... Il me resterait donc un
espoir de vous toucher, de vous sentir, de vous
aimer, de vous chercher, de m'unir, de me confondre
avec vous quand nous ne serons plus, s'il y avait
dans nos principes une loi d'affinité, s'il nous était
réservé de composer un être commun, si je devais

dans la suite des siècles refaire un tout avec vous, si les molécules de votre amant dissous avaient à s'agiter, à s'émouvoir et à rechercher les vôtres, éparses dans la nature ! » *

Composer un être commun ! Avec qui cette poussière ou cette cendre anatolienne pourrait-elle s'unir ? C'est une cendre nomade, toujours en quête, toujours inquiète, la mémoire ténue et jamais en repos des êtres et des empires éteints, une poussière ouïgour ou mongole venue de l'extrême Asie, l'ombre cinéraire des cavaliers d'antan, des caravanes disparues, mais aussi l'annonciatrice des massacres à venir et des villes à raser. Oui, cette poussière que Yunus balaie chaque jour dans la cour du tekké est l'ultime et dérisoire linceul des envahis, des massacrés, des égorgés et le cri fatalement silencieux de ceux qui le seront un jour. Car tel était ou allait être incessamment le destin de l'Anatolie : peuples décapités, villes déshabitées rendues à la solitude du désert. La poussière, ce brouillon, ce brouillage des milliers de cris à venir.

Pour lutter contre cette poussière, Yunus n'a qu'une seule arme : son balai. Un balai minutieusement confectionné avec des branches de noisetier liées sur un manche en bois de caroubier. Un balai indestructible. Indéfectible aussi. Le caroubier passe pour exorciser ou décourager les fantômes et les esprits grincheux. Ce balai est donc aussi un talisman. Yunus est d'ailleurs le seul à s'en servir et le manche porte depuis longtemps l'empreinte de ses mains et la patine de ses paumes. Car il suffit de peu de choses pour s'assurer (ou se rassurer) contre les pièges de l'Invisible : un bout de ficelle bénite, un osselet d'anachorète mort en odeur de sainteté, un lambeau de tunique que porta un derviche illustre, des perles bleues sur une rosace en feutre, un galet que les mains d'un shaman rapportèrent d'un voyage astral. Yunus, lui, a son balai, fiable, fidèle, si docile et si familier qu'il lui confie parfois ses déceptions ou ses tourments. Un balai instruit en quelque sorte, compréhensif à son égard et même complice. Il fallait bien cela, ce balai vivant et savant, pour venir à bout de la poussière d'Anatolie et de tous les esprits et fantômes de la steppe.

C'est dans un tekké, couvent le plus souvent fait de briques et de pierres mais quelquefois aussi de terre et de pisé, que se réunissaient les multiples confréries, plus ou moins tolérées, plus ou moins hérétiques, que l'Islam suscita en ce XIIIᵉ siècle en cette région du monde qu'on nomme Anatolie et qui, en l'occurrence, s'étendait de la mer Égée jusqu'à Kayseri et au-delà. Ainsi était celui qu'avait élu Yunus : une bâtisse en pierre entourée d'un haut mur de torchis. Mais un tekké peut être plus qu'un lieu de culte et de prière, un enclos où l'on tenterait de rencontrer et de retenir l'Infini. Il y a de par le monde des milliers d'oiseaux migrateurs qui parcourent chaque année des milliers et des milliers de kilomètres et d'autres, entièrement sédentaires, qui passent leur vie entière dans un espace à peine plus grand que celui d'une simple chambre. Toute leur vie se déroule en ces quelques mètres carrés de bois ou de buissons dont ils connaissent la moindre branche, le mouvement de la moindre feuille. Mais alors, à quoi bon être oiseau, à quoi bon être nanti d'ailes si c'est pour passer sa vie comme un prisonnier volontaire ? Pourquoi se limitent-ils à un territoire minuscule alors qu'avec leurs ailes ils pourraient parcourir le monde ? Mystère de ces oiseaux si obstinément sédentaires qu'ils font penser à des anges reclus. Pire même : à des anges gardiens ! Être pourvu d'ailes, d'ailes célestes, infatigables, capables de parcourir tout l'univers, de voler d'Aldébaran à Bételgeuse ou d'Altaïr à Antarès, de voyager de galaxie en galaxie, et en être réduit à suivre pas à pas sur la Terre les faits et gestes de ces balourds aptères qu'on nomme des humains ! Sans doute s'impatientent-ils ou se révoltent-ils, ces anges, quand la mesure leur paraît comble, agitent-ils leurs ailes engourdies pour leur redonner vie, les désankyloser, faire circuler, avec le sang du ciel, espoir, rêve et lumière ? Ce sont sûrement ces impatiences, ces irritations angéliques qui expliquent les tourbillons de poussière affolée s'élevant soudain dans la steppe sans rime ni raison, quand aucun vent ne souffle. Ne prennent-ils pas précisément des formes d'anges, rendus soudain – un très court instant – perceptibles ? Mais comment distinguer à coup sûr, dans les tourbillons de la steppe, l'ombre d'un ange exaspéré – ou qui douterait de lui-même – d'une trombe de poussière banale? La steppe est pleine de ces mirages, de ces tournoiements déroutants, de ces spectres égarés entre visible et invisible. A force de balayer la cour, de méditer chaque jour sur la poussière, les anges, les oiseaux, les fantômes, les ruses et défaillances d'un univers par ailleurs rigide et grossier, Yunus est devenu le plus éminent connaisseur de tout ce qui touche aux mystères du probable et de l'improbable et aux désarrois du visible. Mais cela, nul ne le sait, nul ne s'en doute encore autour de lui...

Années de balayage obstiné. Mais aussi années d'obéissance au maître du tekké, Tapuk Emré, années de méditations, années d'invocations quotidiennes. Le fruit de ces années? Yunus a le sentiment d'avoir surtout appris non les secrets du monde mais ceux de l'envers du monde. Était-ce pour apprendre cela que des années plus tôt il avait frappé à la porte de ce tekké dont le maître, selon la tradition en usage dans la confrérie, le laissa attendre trois jours et trois nuits avant de lui ouvrir?

Il n'y a rien de plus banal que de frapper à une porte dans l'espoir qu'elle s'ouvrira. Mais que fait-on quand elle ne s'ouvre pas? Là s'opère le choix révélateur. Que font la plupart des humains quand ils frappent à une porte et qu'elle ne s'ouvre pas? Ils s'impatientent puis ils s'en vont. D'autres, plus rares, continuent de frapper et d'espérer. On aura compris qu'il y a deux sortes d'humains sur la Terre : ceux qui, frappant à une porte, s'en vont puisqu'elle ne s'ouvre pas et ceux qui, au contraire, demeurent parce qu'elle ne s'ouvre pas. Ces derniers seuls nous intéressent.

Devant la porte obstinément close, Yunus devine qu'il a trouvé son vrai foyer. Derrière le battant, les molosses qui gardent le tekké grognent et grondent contre l'intrus. Un intrus qui, remontant le cours du temps et de la création, est venu frapper à la porte d'un simple mur apparu dans sa vie misérable. Serait-il arrivé jusqu'au jardin secret que garderaient des anges aux mains de flamme, au jardin interdit ? Les frondaisons d'un grand mûrier dépassent les murs du tekké. Molosses, murs et mûrier. Déjà se mettent en place, mues par quelque discrète et secrète attention (et peut-être même intention ?), les figures de sa vie nouvelle. Mais très vite la nuit, le froid et le silence saisissent la steppe. En ces régions continentales, on passe en un instant de l'éblouissant à l'obscur et les cérémonies du crépuscule se réduisent au strict nécessaire. Le ciel se dévêt en hâte de sa camisole aveuglante pour revêtir la bure mate et glacée des étoiles. Les montagnes font de même comme si un nuage les recouvrait inexplicablement, et la nuit s'installe, chape brutale indiquant que la représentation du jour est finie. Enveloppé de son manteau de laine, Yunus s'adosse contre le mur pour profiter de sa chaleur. Il s'endort, se réveille, se rendort.

A l'aube, le soleil reparut aussi vite qu'il avait disparu la veille, sans le moindre apparat auroral. Un poivrier, sur la colline proche, accrocha les premiers rayons. L'aube se déchira entre ses branches puis le jour vint, indubitable. Déjà chaud. Les chiens se réveillèrent. Et les habitants du tekké. Yunus se remit à frapper.

Une simple porte le séparait du jardin et du monde élu. Une porte ordinaire, en bois crevassé, mais épaisse et solide, à l'épreuve de tous les coups. Elle resta close et le deuxième jour se passa identique au premier, si ce n'est que la soif commença à se faire sentir. Le soleil exténuait toute chose. Le poivrier ployait sous l'incendie du ciel. Immobile, Yunus brûlait contre le mur, sans un coin d'ombre où s'abriter. Mais cette canicule avait aussi du bon : elle desséchait, effaçait en lui jusqu'aux ombres de sa vie congédiée. Déjà, il la désertait. Pour ne plus penser qu'à cette porte et à celles des autres tekkés dont regorgeait l'Anatolie. Mais peut-être pour y pénétrer fallait-il s'y prendre autrement ?

Puisque cette porte ne s'ouvre pas lorsque Yunus y frappe, elle s'ouvrira peut-être s'il cesse d'y frapper. Logique de la steppe. Et de toute vie transfuge. Demeurer un intrus, oui, mais sans tapage. Un intrus décidé, entêté mais discret. Docile aux hasards des admissions et des refus. Au matin du troisième jour, quand le premier rayon du soleil s'écartela entre les branches du poivrier et que la soif se mit à le torturer, Yunus se plaqua de tout son long contre le sol, bouche contre terre et bras en croix, les doigts écartés, pressés contre l'herbe rase. Et il ne bougea plus de tout le jour ni de la nuit suivante.

Quiconque se plaque de toute sa force contre le sol, quiconque demeure des heures entières immobile, l'oreille tendue à l'écoute des bruits les plus intimes de la terre, s'expose à percevoir des choses confuses parce que inhumaines et surtout des rumeurs inavouables. C'est que la terre murmure et marmonne sans cesse et si l'on pouvait percevoir ce langage, fait de fièvres et de frissons, d'effritements secrets, d'éboulements intimes, d'infimes séismes dans les entrailles des instants, on serait sans doute horrifié de ce qu'on surprendrait. La terre ne fut jamais une matrice raisonnable et à songer aux monstres, aux géants, aux cyclopes, aux dragons qu'elle enfanta jadis, on peut légitimement s'interroger sur la dérive et le délire de ses désirs. Aujourd'hui qu'elle s'est, de toute évidence, assagie, que les monstres d'antan n'ont plus les faveurs de son ventre, son langage lui-même s'est tempéré, ses fièvres se sont apaisées et l'oreille exercée peut deviner en ses chuchotements ceux qui sont innocents, ceux qui sont menaçants. Devant tous ces murmures, encore confus pour lui, Yunus se souvient d'un berger qui gardait jadis ses moutons près du village de ses parents. Un berger qui l'émerveillait parce qu'il savait parler avec la terre. Il collait son oreille contre le sol et restait si longtemps ainsi que

Yunus pensait parfois qu'il s'était endormi. Mais non. L'homme se relevait et disait : A telle distance, il y a un troupeau de tant de têtes qui se dirige vers nous. Il sera là dans tant de temps. Jamais il ne se trompait... Aujourd'hui, Yunus comprend qu'il ne s'agissait pas de magie mais d'expérience, d'affinement des sens. La terre n'a qu'une seule langue pour tous les hommes, faite d'ondes et d'émois successifs. Elle transmet les attouchements, les martèlements, les pressions qu'on lui fait subir mais il faut savoir interpréter ces frissons et ces fièvres, et cela de qui, par qui peut-on l'apprendre ? Pour ce qui est des bruits proprement naturels, il existe de nos jours des sismographes perfectionnés qui enregistrent le moindre hoquet tectonique à l'autre bout du monde, mais ils ne peuvent percevoir et encore moins identifier ce que surprend l'oreille d'un berger averti : le pas des moutons sur l'herbe gelée du matin, le trot ou le galop des cavaliers, la pression et l'allure de tout ce qui marche, court, erre sur la steppe. De tout ce qui a odeur d'homme, de mors, de cuir et de feutre. Odeur de bête, de lait, de laine. Odeur d'Anatolie.

Yunus ne bougea pas de tout le jour ni de toute la nuit. De temps à autre il décollait du sol sa bouche et son oreille endolories puis les pressait à nouveau sur la terre. Mais il n'entendait, ne percevait rien. Ni frisson ni piétinement ni chevauchée. Aucun poids d'hommes ou de bêtes mais un silence d'herbes, d'étoiles et d'horizon.

A un moment pourtant, après des heures d'écoute nocturne et inféconde, Yunus perçut, alors que le jour allait poindre, non pas une rumeur mais une odeur inconnue, jamais respirée, jamais soupçonnée jusqu'alors. Une odeur à la fois intense et fragile, enivrante, comme une senteur d'embruns offerts à tous les vents, si étrange et si inattendue que Yunus se redressa et vacilla dans l'aurore brutale. C'était, il ne le savait pas encore, l'odeur de l'Immense. A cet instant précis, tandis qu'il s'enivrait de cette odeur paradisiaque, la porte du tekké s'ouvrit et Tapuk Emré, le maître aveugle, parut sur le seuil et lui dit :

– Entre, mon bon Yunus.

Rumeurs de la steppe. Plus que rumeurs ici : bourdonnements, bruissements, brouhahas assourdissants, étourdissants. Ogodeï, le troisième fils de Gengis Khan, l'empereur océanique, vient d'être élu Grand Khan et maître d'un empire qui s'étend déjà de la Corée à la mer Caspienne, englobant une multitude de peuples asservis, Fatars, Naïmans, Ouïgours, Khitans, Tanguts, Comans, Kirghiz, Ouzbeks, Petchénègues, mais enfin cela ne suffit pas à Ogodeï, ivre peut-être de qumis, ce lait de

jument fermenté qu'on boit ici par jattes
entières, ivre aussi d'avoir enfin accédé au trône
et surtout d'y avoir accédé entouré de ferveur et
de dévotion familiales, son oncle Temüge tenant
fermement sa main gauche, sa main droite dans
celle de son frère Djaghataï tandis que Tuli, le
troisième frère, son préféré (Djötchi l'aîné
venant tout juste de mourir), passait sa main
sous sa ceinture en signe d'obédience et de fidélité et c'est ainsi que tous quatre se dirigèrent
vers la yourte géante édifiée pour la circonstance
où les attendaient pour la cérémonie d'investiture tous les princes impériaux, les ambassadeurs, venus certains de l'extrême Occident, les
feudataires de toutes les provinces de l'empire et
les femmes, ses femmes, toutes parées d'atours,
d'habits multicolores et pour l'heure docilement
accroupies sur la gauche du trône, les yeux bais-
sés, leur double natte huilée de graisse, tandis
que le régent offrait à Ogodeï la coupe rituelle
dont il versa d'abord une partie sur le sol en
libation aux esprits de la terre et aux mânes de
son père avant d'engloutir le reste d'un trait puis
de tendre la coupe vide au kereyit Tchinqaï dont
il venait de faire son conseiller, Tchinqaï qui le
suivra désormais, cette même coupe en main,
dans tous ses déplacements y compris au cœur
des combats, après quoi Ogodeï quitta brusquement la yourte, monta sur son cheval, fit quelques pas au milieu de tous les fidèles Mongols

agenouillés ou prosternés à même le sol et
s'avança seul sur le plateau en direction de
l'ouest, là où la steppe se confond avec son
double vaporeux, avec l'infini turbulent de ses
herbes quand le vent follement les ploie et les
déploie, un infini où chacun ce soir-là ne voyait
qu'un horizon nu où bientôt la nuit tomberait
mais où lui Ogodeï distinguait déjà clairement,
nettement, d'immenses murailles entourant des
villes lumineuses, des villes à prendre et à piller
les unes après les autres, des villes dont les
noms, depuis longtemps prononcés par les
voyageurs et par les pèlerins, résonnent en ses
oreilles comme la plus douce et la plus mélo-
dieuse des litanies guerrières, Boukhara, Samarcande, Hérat, Neyshapour, plus loin Tiflis,
Tabriz et Ispahan, Bagdad et plus loin encore
Damas, Konya et Kayseri, toute l'Anatolie et
pourquoi pas Kiev, Riazan, Moscou et Nov-
gorod, toutes ces cités qui tremblent au loin
devant ses yeux (de froid, de fièvre ou de terreur
anticipée ?), qui s'entassent, se confondent,
s'écroulent et se reforment dans le ciel, se
redressent, s'étagent, s'érigent dans la nudité de
la steppe et surtout le miracle de cette heure
unique, offrande du dieu céleste ou du destin
puisque le trône, c'est évident, n'a pas été donné
à Ogodeï pour qu'il s'y perde et s'y prélasse mais
pour accomplir, continuer les désirs et la grande
vision de Gengis son père, oui, conquérir non

seulement des villes, des peuples et des richesses mais, plus encore, conquérir l'immensité elle-même et pour cela parvenir au seul but qui vaille aux yeux d'un conquérant digne de ce nom, parvenir aux confins du monde, au lieu même où s'arrête la Création, où prennent fin l'étendue des terres et l'empire des humains et où commence le pays de Dieu, oui, voir, atteindre, parcourir cette frontière ultime qui sépare l'immense de l'infini, même s'il faut pour cela — et Ogodeï sait qu'il le faudra — détruire des milliers et des milliers d'existences précaires, provisoires et futiles, détruire des villes et des églises et des mosquées et des palais et des foyers, détruire tous les obstacles, toutes les entraves sur son chemin de conquérant océanique pour atteindre l'orée du pays où cesse désormais le pouvoir des hommes misérables et où commencent l'empire et l'empreinte de Dieu, aller là où nul n'est allé avant lui, pas même son père Gengis qui avait pressenti le chemin mais qui mourut trop tôt pour réaliser ce désir, oui, Ogodeï voyait ce soir-là toutes ces villes monter à l'horizon, briller, puis se dissoudre, se disloquer dans un brasier confus et silencieux et il sut, à cet instant même, qu'à l'instar de ces derviches exaltés qui, pour étaler leurs pouvoirs, s'amusent à danser pieds nus sur d'immenses brasiers, il sut qu'il lui faudrait lui aussi danser dans les brasiers des villes, faire l'épreuve du fer et du feu, pour parvenir là où plus rien ne bouge ni ne brûle, où s'effacent tous les souvenirs, même ceux des murs et des corps calcinés ; et l'air, à l'entour d'Ogodeï, prit alors une odeur étrange, une odeur jamais respirée jusqu'alors, plus forte et plus grisante que celle du qumis ou que celle de Törogene, la première de ses épouses, qu'il avait trouvée abandonnée avec le butin pris à ses ennemis les Merkits, et qu'il avait enlevée à son tour, entraînée dans sa yourte, Törogene, sa prise de guerre, son butin de plaisir, mais une prise qui lui parut soudain si belle, si princière qu'au lieu de se jeter sur elle, il la déposa doucement sur les tapis de feutre, la déshabilla lentement et dans un sourire inattendu, inespéré, Törogene ouvrit grandes ses cuisses et il en monta une odeur, inoubliable, de vallée vierge et fauve, comme la sueur d'une terre princière et printanière et pourtant cette odeur n'était rien à côté de celle qui venait maintenant de la steppe. Au milieu de la fête, des cris, de la musique, des corps vautrés à terre, vomissant le qumis dans un relent de caillé aigre, il venait à son tour de sentir, de respirer pour la première fois, à l'heure où Yunus se relevait à l'aube devant la porte du tekké, la même odeur de l'Immense. ·

Le tekké

« Si le monde était fleur,
je voudrais être abeille. Il
n'est de miel plus doux que
les mots de l'Ami. »

Pir Sultan Abdal

Lutter contre la monotonie du vent et celle de la poussière, contre la résignation d'un poivrier écartelé par le couchant, combattre l'encerclement, l'étouffement des murs de l'enclos pour un jour mériter l'Immense, voilà la tâche de Yunus. Depuis des années, il balaie sans cesse la cour du tekké, caresse les molosses qui sous sa main deviennent des agneaux, molosses à coup sûr immortels puisqu'ils n'ont pas vieilli d'un jour depuis son arrivée. Les animaux, c'est sûr, évoluent autrement que les hommes, ils changent à l'intérieur d'eux-mêmes plus qu'en leur apparence. A la façon des insectes dont la carapace immuable laisse croire que le temps ne les atteint pas. Et pourtant, les insectes meurent, eux aussi. Mais ces molosses, comment vivent-ils l'écoulement des jours et que pensent-ils du froid, du vent, de la poussière ? Oui, que pensent-ils plus précisément de la poussière ? Savent-ils seulement qu'elle existe et qu'elle vient de très loin et qu'à l'autre bout de ce monde d'autres chiens, des chiens ouïgours, des chiens mongols la respirent eux aussi ? Nous savons, nous, même sans jamais les voir ni les rencontrer, que d'autres hommes existent sur la Terre, mais les chiens ? S'ils savent ou sentent tout cela, alors ils doivent sentir également qu'ils changent, qu'ils vieillissent, même s'ils n'ont pas la moindre idée de la mort. Pourtant, rien ne l'indique dans leur comportement. Les jours passent sur eux, immuables alors que même les éléphants vieillissent ou les tortues marines douées pourtant d'une longévité proverbiale. Mais peut-être est-ce trop demander à des chiens, si doués soient-ils, que de flairer au fil des jours l'odeur de leur impermanence ? Ce n'est pas là le genre de question que l'on se pose dans un tekké. On y enseigne plutôt à perfectionner l'homme et non les chiens, à l'accomplir en quelque sorte et à l'aider à rencontrer Dieu. C'est pour cela que Yunus est ici, pour approfondir, améliorer son être, non pour s'interroger sur le savoir des chiens ou sur les ruminations des chameaux, par exemple, quand après avoir franchi cols, déserts et steppes dans l'inclémence des saisons, ils se couchent le soir sur le sol, les pattes savamment repliées sous le ventre et regardent fixement l'horizon en s'inquiétant peut-être – pourquoi pas ? – des raisons de la nuit montante.

Si Yunus se préoccupe ainsi des chiens, c'est qu'il passe le plus clair de son temps avec eux et qu'il pourrait s'interroger tout aussi bien sur le mûrier qui pousse au milieu de la cour, sur ce qu'il peut bien

penser – si toutefois il pense – quand ses feuilles
l'abandonnent à l'automne. La cour n'est pas seulement le lieu de son travail, elle est celui de ses méditations, l'enclos de ses questionnements. Depuis des
années, il vit au milieu de ces pauvres symboles :
murs, molosses et mûrier, de ce dénuement qu'il
trouve selon les jours et misérable et mirifique.
Depuis qu'il est ici Yunus l'intrus est devenu Yunus
le reclus. Et Yunus le reclus est devenu Yunus le
démuni.

Le démuni, cela veut dire aussi le délivré.
L'affranchi, l'enrichi. Le complice des forces invisibles. La preuve : dès que l'hiver approche, Yunus
est chargé d'alimenter en bois l'unique foyer du
tekké. Mais les arbres sont rares et il faut faire des
kilomètres pour trouver du bois convenable. Pourtant, dès que Yunus rentre au tekké, chacun
s'exclame et s'émerveille : toutes les bûches sont de
taille identique, comme sciées ou coupées au cor-
deau ! Yunus lui-même n'y comprend rien mais ne
s'étonne pas. S'il rapporte à son insu des bûches
impeccables, des bûches idéales, équarries par une
main mystérieuse, c'est sans doute que le ciel aide
les démunis !
Et les jours passent ainsi, entre les bûches angéliques, les chiens immortels, la cour bruissante et le
mûrier pensant. Et les séances de prière. Les séances
de dhikr. A heures fixes, les derviches se réunissent
dans la grande salle du tekké. Ils demeurent immo-

biles un long temps, en une posture silencieuse, avant de commencer l'invocation du nom de Dieu, sous la direction de leur maître Tapuk Emré. Il s'agit, en contrôlant minutieusement son souffle et en l'accordant au rythme de son cœur, d'invoquer Dieu en répétant inlassablement *La ilaha illa allah*. Au début, souffle et balancement s'esquissent lentement, les corps s'inclinent en une révérence au ralenti et une rumeur, encore discrète et sourde, sort des gorges, un orage qui ronronne dans l'ombre et l'antre de la poitrine avant d'éclater au grand jour. Puis les mouvements s'accélèrent, les corps se plient en deux, les têtes se balancent violemment, la rumeur s'enfle, éructe, éclate sur un rythme de plus en plus rapide qui devient grondement, mugissement, rugissement sortant des corps pliés, redressés, repliés, en une transe assise et contrôlée, une récitation des paumes, une corolle humaine qui s'ouvre et se referme, s'éploie et se replie en un bourdonnement d'émois. Litanies, bien sûr, mais où la lancinante répétition des mots conduit quelquefois à l'extase, cette ivresse lucide.

D'autres jours, après avoir dit quelques mots, commenté une sourate, un hadith ou conté quelque parabole, le maître instruit un dhikr silencieux. Chacun reste alors immobile, dans la solennité ou la sérénité de la rencontre avec soi-même, une heure, deux heures ou plus, jusqu'au signal convenu. Dehors, les bruits de la vie continuent, et dans la pièce voisine l'épouse du maître tisse sur son métier ses beaux kilims pour les cellules, la salle de prière et aussi pour les vendre au marché. La navette va et vient entre les fils en un glissement, un chuintement régulier, lancinant lui aussi, comme une litanie des mains tramant, en son halètement répété, les vieilles figures de la mémoire anatolienne.

Les gestes sont toujours les mêmes : balayer la cour en commençant par le coin des chiens, ramasser les feuilles du mûrier, les réunir en tas et les fourrer dans un sac pour servir de combustible. Tout ici, même une feuille, un pétiole, une brindille, est minutieusement conservé. Les feuilles sont rares dans cette région sans arbres mais au moins il y a toujours la poussière que Yunus entasse soigneusement et qu'il jette ensuite dans le feu où elle se met à crépiter en milliers d'étincelles. Poussière devenue soudain lumière et flamboiement, comme celle de la Voie lactée, cette coulée, cette couvée, ce couvain de milliers d'étincelles silencieuses. Quand il contemple ainsi le ciel, des poèmes, des chansons viennent parfois aux lèvres de Yunus. Parfois aussi quand il balaie et s'interrompt soudain devant un souffle ou un phénomène imprévu. Ces chansons, ces poèmes, il est le seul à les connaître. Nul, au tekké, n'est au courant de ces compositions. D'ailleurs, nul ne les entend. Yunus les murmure, les fredonne à voix basse, pour lui-même et pour ceux qui l'entourent : les chiens, le vent et le mûrier. Le vent qui les reçoit et les emporte au loin. Vers qui ?

Il est aussi des moments où le temps s'arrête. Le mûrier fige chacune de ses feuilles, la poussière devient averse pétrifiée, l'ombre des murs creuse le sol et les rumeurs habituelles du tekké se muent en un lassant ressac qui se brise sur le rivage des heures. La cour devient un enclos étranger, superflu, et le vide chuchote aux oreilles de Yunus : A quoi bon balayer des ombres, déplacer des fantômes, t'acharner sur l'insaisissable ? En de pareils moments, Yunus n'a plus qu'un seul remède : réciter, fredonner ou chanter des poèmes qu'il improvise, pour conjurer ce vide et ce silence. Des poèmes pour tenter de lutter contre les ombres d'un soir d'hiver.

J'ai passé tout ce jour en vain
De toi, ma vie, que vais-je faire ?
D'amour, tu n'as pu me combler
De toi, ma vie, que vais-je faire ?

Étant venu sans le savoir
Je n'ai pu Te dire au revoir
Ni rire ni chagrin avoir
De toi, ma vie, que vais-je faire ?

Mes bienfaits, mes méfaits notés
Le fil de ma vie se rompra
Mon visage se corrompra
De toi, ma vie, que vais-je faire ?

Yunus le démuni, Yunus s'absentera
Le grand voyage accomplira

Insatisfait demeurera.
De toi, ma vie, que vais-je faire ?

Au-delà du mur saisi lui aussi par la banquise du temps, seules les montagnes bougent encore. Ou semblent bouger. Invitation à les rejoindre ? A rencontrer d'autres espaces, d'autres enclos et d'autres maîtres ? Le chemin est là, tentateur. Et l'horizon, tremblant déjà dans la poussière des lendemains. Une caresse aux molosses endormis, une autre à son balai soigneusement rangé, Yunus enroule son tapis de prière pour le prendre avec lui, ouvre la lourde porte, s'immobilise sur le seuil. Le poivrier dilate ses maigres bras sur la colline et plus loin le chemin vacille dans le balbutiement de la lumière. Le monde est là, soumis, de colline en colline. Avec, ténue mais sûre, l'odeur de l'Immense.

Toutes les villes se sont rendues et celles qui ne l'ont pas fait, qui ont cru pouvoir résister aux assauts des hordes mongoles, ont été rasées et tous les habitants exterminés. Il ne reste plus rien, absolument rien, de Samarcande, de Neyshapour, d'Ispahan, de Riazan ou de Vladimir. Partout, des maisons calcinées, des mosquées et des églises pillées et saccagées. Les hommes adultes ont tous été décapités et leurs têtes entassées aux portes de la ville, les vieilles femmes et les enfants massacrés sur place, les femmes plus jeunes et les adolescentes violées avant d'être égorgées ou retenues comme concubines ou comme esclaves, seuls étant épargnés dans ce massacre général, selon les ordres exprès du Khan, les artisans et les poètes (mais si les artisans cachés dans leur échoppe ou portant leurs outils sont aisément identifiables, à quoi un soudard reconnaîtra-t-il un poète dans une ville en flammes ?), et la marée mongole continue de s'étendre, Güyük a succédé à son père Ogodeï, et Mongka à Güyük mais rien ne changera dans les buts ni dans les tactiques de la guerre ni le déferlement des cavaliers ni le siège des villes si ce n'est que maintenant, à mesure que les armées s'approchent de l'Anatolie et que l'empire s'étend, des milliers de chariots portant les yourtes familiales suivent pas à pas, loin en arrière, chariots qui, la nuit venue, s'arrêtent dans la plaine ou la steppe et l'on voit alors s'allumer des milliers de feux dessinant sur le sol des milliers de constellations furtives et la lente progression reprend le lendemain, colonnes mi-animales mi-humaines car suivent aussi les bœufs, les moutons, les chameaux, et surtout les chevaux dans une rumeur océanique où se mêlent cris d'enfants, mugissements, hennissements, appels des hommes de garde, et surtout ce long, sourd, continu, lancinant, grinçant ron-ronnement des roues, annonçant la progression sinueuse et sûre de tout un continent, émigrant d'une steppe à l'autre, traversant les villes ara-sées, frôlant les palais calcinés, effleurant les tro-phées de têtes coupées et les charniers, tout un déferlement au ralenti, une calme, presque banale apocalypse confirmant que le monde, ce monde-ci en tout cas, celui où se dressaient temples, pagodes, mosquées, églises et syna-gogues, de la Chine au Khorezm et d'Hérat à Bagdad, était en train de disparaître sous la furie mongole. Demain, oui, demain, ils seront aux portes de l'Anatolie.

Les montagnes qui bougent

« As-tu vu dans l'hiver la montagne d'en face ? Plus rare au fil des jours la neige la déserte. Comprends-tu la leçon de ces eaux qui s'écoulent et qui s'inclinent, prosternées, le front contre le sol ? »

Hatayi

Avez-vous un jour, dans la docilité de l'aube et la complicité des vents, avançant sur une steppe engourdie de froid et frangée de montagnes bleutées, admiré l'extase des peupliers frissonnant dans la lumière montante ? Admiré aussi leur alignement studieux, presque révérencieux, le long du moindre filet d'eau ?

Juste derrière leur fin rideau se dressent les montagnes qui bougent. Mais bougent-elles vraiment ? N'est-ce pas plutôt le tremblement de l'air, l'hésitation du jour, l'indécision des vents, n'est-ce pas le voile toujours présent, déjà fiévreux, de la poussière qui donnent cette impression de frémissement timide, de lente turbulence ? La terre, elle, ne tremble ni ne frissonne. Elle reste ferme sous les pas de Yunus. Mystère des montagnes. On les croit naturelles mais le sont-elles vraiment ? Mystère de ces enflures, gonflements, ces renflements géants, ces éruptions cutanées de la croûte terrestre. A moins qu'elles ne viennent d'ailleurs que de la Terre, qu'elles ne viennent du ciel et non du sol, comme le racontait jadis le vieux berger de son enfance. Des histoires étranges rapportées par des nomades venus du Khorezm ou du Khorassan, peut-être même de plus loin, et qui disaient qu'il fut un temps, avant que l'homme n'advienne sur la Terre, où les montagnes vivaient au ciel car elles avaient des ailes et volaient librement. Jusqu'au jour où le dieu de l'Orage, jaloux de leur pouvoir et de leur liberté, leur coupa les ailes et provoqua leur chute. Depuis, elles gisent sur la Terre, condamnées à ne plus pouvoir la quitter.

La montagne vers laquelle se dirige Yunus est nue, sans aucun arbre, sans herbe, avec des croupes excoriées et une chair ocre et gris parsemée çà et là de traînées noires. Tout cela se dresse au-dessus d'un chaos de rocs brisés, dispersés sans nul doute par la chute d'antan. Des gisantes mutilées, peut-être inapaisées, voilà ce que sont ces montagnes, instables parce que inassouvies.

En approchant de la ligne des peupliers et de la courbe du ruisseau, Yunus perçut des voix humaines, des abois, des braiments et le bruit caractéristique des norias. Des mulets aux yeux obstrués tournaient le manche de grandes roues dont les godets déversaient l'eau dans une auge. Suite sans fin de tournoiements, celui de l'animal, de la roue, des godets, des paysans faisant la chaîne pour puiser l'eau, que rythmaient le murmure de la rivière et le grincement des norias. Gémissement même. Geignement. Dus bien sûr à la vétusté des rouages mais évoquant irrésistiblement le râle d'une agonie sans fin.

On sait – ou on devine – pourquoi les montagnes frissonnent et pourquoi la terre réclame sans cesse de l'eau : les unes regrettent le ciel perdu et l'autre est altérée. Mais les norias, que leur manque-t-il pour qu'elles gémissent ainsi ? Tant qu'il y aura des rivières, des terres à cultiver et des hommes pour les arroser, tant qu'il y aura aussi des norias avec des rouages aussi vieux que le plus vieux des patriarches, on les entendra jérémier. Car c'est là le mot qui convient pour dire ces grinçantes, si lancinantes lamentations. Avec un animal – âne, cheval ou chameau – pour tourner aveuglément et inlassablement le mécanisme de la chaîne sans fin. Automate qui tire, qui hale ou qui tourne. N'est-ce pas là, sans qu'ils s'en doutent, le sort de beaucoup d'hommes ? Frères alors, l'homme et l'animal. Frères en automatisme et en répétition. Frères aussi en lancinement et en aveuglement. Jamais jusqu'à présent Yunus n'avait prêté attention aux norias ni à la raison d'être de leurs gémissements. Mais ce matin, une lumière s'est faite en lui à l'instant même où le soleil affleurait la cime des peupliers en ce vallon hanté d'appels humains. Yunus a deviné pourquoi les norias pleurent. Pourquoi les norias pleurent ! Question qui jusqu'alors ne semblait pas avoir tourmenté outre mesure les citadins ni même les paysans. Ceux-ci vous diront que les norias ne pleurent pas mais qu'elles grincent. Une goutte d'huile dans

les rouages et finis les gémissements ! Ils ont sans
doute raison. C'est une manie chez l'homme que de
prêter des sentiments et un langage humain à la
nature qui l'environne. Passe encore pour les animaux domestiques, voire sauvages, qui quelquefois,
c'est vrai, nous miment étrangement au point de
donner le change comme on dit, mais pour les
norias ! Dieu en personne a-t-il pouvoir de donner
une âme aux norias ? Yunus sait bien qu'elles ne
sont qu'une œuvre de l'homme, un assemblage de
fer, de bois et de courroies et qu'elles ne sauraient
rien éprouver qui ne soit de nature strictement
matérielle, que leur perpétuel tournoiement ne saurait se muer en vertige ni leur rotation en déploration. Et pourtant, ce matin, alors qu'il avançait parmi
les herbes en direction des peupliers, il est certain
d'avoir soudain perçu comme une plainte, et même
un cri, un cri comme une imploration. C'est vrai,
soyons juste et précis : la noria ne pleure pas, elle
implore. Nuance ! Ses rouages ne grincent ni ne
gémissent. Simplement, il y a ceux qui, au-delà du
grincement, perçoivent cette imploration et ceux qui
ne la perçoivent pas. Ceux qui ont des oreilles pour
entendre le langage secret de ce monde et ceux qui
restent sourds à ce langage. Qu'a donc perçu Yunus
ce matin-là du secret des norias ? A peine quittés les
paysans, il s'est assis un peu plus loin au bord du
ruisseau, à l'écart des bruits et des voix et il s'est
mis pour lui, pour le ruisseau, les peupliers, pour le
vent lui-même qui effleurait leur cime, il s'est mis à
chanter :

Pourquoi grinces-tu, noria et pourquoi gémis-tu ?
Je grince et je gémis d'amour pour Dieu.
Je suis noria et je suis eau souffrante,
Dieu a voulu que je geigne et gémisse.
Chêne j'étais dans les montagnes
Chêne tout dru vers Dieu dressé.
Mais on coupa mes branches, on amputa mon tronc
Mes bras, mes ailes sont arbre mutilé.
Depuis, toute d'amour navrée, je geins de vérité.
Yunus, toi qui connais la roue du monde
Tu sais que rien n'est éternel,
Qu'aucun être humain ne demeure.
Je suis noria, d'amour navrée,
Noria qui tourne, qui grince et qui geint.

Navrée d'amour. Ce sont les troubadours qui jadis s'exprimaient ainsi quand ils chantaient l'amour de la princesse lointaine. Mais Yunus n'est-il pas lui aussi un troubadour, ce qu'on nomme ici un asik, un barde, un aède errant, un amoureux des mots, des musiques et des sons ? Maintenant, il n'a plus devant lui que la steppe et ses toisons d'herbe, son pelage arasé, ses buissons émaciés. A l'horizon, parfois, des moutons, des abois lointains, des tentes de nomades. Bientôt, ce soir ou demain, il lui faudra traverser une région difficile, une dépression sans verdure, sans arbres, sans nomades. Et sans le moindre puits. Une aridité idéale, en somme, pour quiconque aspire à dénuder son âme. Un sol comme un corps écorché laissant à nu les os rabotés par le vent, des lambeaux de peau parcheminée, une terre réduite à une mince pellicule de sel recouvrant cette dépression, ancien lac dont l'eau en s'évaporant a laissé cette immense et blême scorie de rives et de rêves fossiles. Rien de tel qu'une rive desséchée, qu'un rêve évaporé pour redonner sens à l'errance.

Parvenu à l'éblouissante orée de cette désolation, Yunus se sentit envahi par une joie si intense qu'il demeura d'abord indécis au seuil de l'indicible. Puis il avança de quelques pas sur la surface lisse, s'arrêta et se retourna pour contempler une dernière fois les cimes bleues. Et là, il s'aperçut... que son corps ne faisait plus d'ombre. Plus d'ombre ! Ainsi, sans même le vouloir, il était devenu transparent, presque désincarné, fantôme traversé de lumière et de vide. Mue d'homme que déjà le vent poussait et soulevait.

Kitaï, Naïmans, Solangues, Kara-Kitaï, Comans, Ouïgours, Merkits, Mécrits, Kirghiz, Sarrasins, Bisermins, Turcomans, Bilères, Parosites, Samoyèdes, Alains, Ibères, Arméniens, Cangites, Turcs, Gazares, Perses, Circassiens, Russes, tels sont les noms de quelques-uns des peuples soumis par les Mongols de la Chine à l'Anatolie, tels que les énumère Jean du Plan de Carpin, le premier Occidental à avoir parcouru l'étendue de l'Empire mongol au XIIIe siècle. Envoyé comme ambassadeur par le pape Innocent IV auprès du Grand Moghol, comme on disait alors, à savoir le Grand Khan Güyük, il partira de Lyon avec deux compagnons en avril 1245 et y reviendra seize mois plus tard après avoir traversé toute l'Asie jusqu'à Karakorum, capitale des Mongols, aux frontières de la Chine et de la Mandchourie! Pour la première fois, des moines chrétiens découvraient les surprenantes coutumes des Mongols, notamment le protocole d'accès à la yourte du Khan, des chefs et autres dignitaires, où il faut « plier par trois fois le genou gauche devant l'entrée de la tente, et surtout bien veiller à ne jamais heurter du pied le seuil, ce que nous fîmes avec grande attention car une sentence de mort frappe ceux qui heurtent du pied le seuil de la tente d'un chef ». Première et délicate approche, en effet, redoutée de tous les visiteurs, qu'ils soient étrangers ou mongols, où le moindre trébuchement, la plus légère distraction, vous expédie sur l'heure dans l'autre monde! A l'intérieur de la tente, le protocole est tout aussi sévère. Le chef ou Khan trône au centre sur un siège élevé avec à ses côtés une de ses femmes tandis que sa parentèle, frères et fils, se trouve plus bas sur un banc et que les simples visiteurs sont assis à même le sol, les hommes à droite, les femmes à gauche. L'espace mongol tout entier, que ce soit l'intérieur d'une yourte ou la steppe elle-même, est régenté par les quatre points cardinaux qui orientent et scindent entre eux les vivants en les séparant selon leur sexe, leur fonction, leur naissance, leur essence. Le moindre geste rituel ou sacré est ainsi d'une infinie portée, prolongeant son élan ou son esquisse jusqu'aux astres en déplaçant ou modifiant, ne fût-ce que de façon infime, le centre de gravité de l'univers. Après les témoignages étonnants rapportés par Plan de Carpin et quelques années plus tard par frère Guillaume de Rubruk, il semble bien que les Mongols aient été toujours préoccupés par la puissance et la présence des esprits invisibles. Boire, par exemple, en compagnie d'un chef et sous sa tente ne saurait se faire à la légère car cet acte qu'on croirait anodin engage l'équilibre et l'harmonie du monde environnant. Les esprits invisibles et les forces célestes ont droit, eux aussi, à une part des libations et doivent être servis en premier. N'est-ce pas là une étrange mais conviviale façon de rendre un culte aux dieux que de les convier à sa table et d'inviter en même temps le feu du soleil et le sang de la terre à partager avec vous et en vous l'offrande de votre soif?

« Lorsqu'ils s'assemblent dans l'intention de boire, ils aspergent d'abord de leur boisson les images et idoles qui trônent au-dessus de la tête du maître puis toutes les autres qui se trouvent dans la tente. Ensuite un intendant quitte la tente avec en main une coupe de boisson et en verse un peu sur le sol en se tournant vers le midi et en fléchissant le genou, ceci pour honorer le feu; ensuite, il fait de même vers l'orient pour révérer l'air, ensuite vers l'occident pour révérer l'eau et enfin vers le nord pour honorer les morts.

Quand le maître tient sa coupe en main, il en verse une partie sur le sol avant de boire. S'il est à cheval, il en répand sur l'encolure et la crinière de l'animal. Quand l'intendant a ainsi aspergé les autres côtés du monde, il rentre sous la tente où deux serviteurs, munis eux aussi de coupes, sont prêts à porter à boire au maître et à sa femme assise près de lui. Quand il a plusieurs femmes, celle qu'il a choisie la nuit précédente pour domir avec elle s'assied auprès de lui toute la journée et toutes les autres doivent venir à ses côtés pour boire. »

C'est le Grand Khan Güyük, le fils d'Ogodeï, le petit-fils de Gengis Khan, cet homme si sourcilleux des seuils et des points cardinaux, qui remettra à Jean du Plan de Carpin à l'intention du pape une lettre surprenante où il défend et justifie ses conquêtes et ses massacres :

Güyük Khan, force de Dieu, empereur de tous les hommes, au Grand Pape. Tu nous as transmis par ton ambassadeur des lettres véridiques et authentiques par lesquelles toi et tous les peuples chrétiens qui résident en Occident exprimez le désir de faire la paix avec nous. Si vous désirez faire la paix, il faut que toi, Pape, vos empereurs, tous vos rois et les potentats des villes et les gouverneurs des pays ne différiez en aucune manière de venir vers moi pour m'exposer votre paix et entendre en même temps notre volonté. Tes lettres disaient aussi que nous devrions nous faire baptiser et devenir chrétiens, à quoi nous te répondrons brièvement que nous ne comprenons pas pourquoi nous devrions le faire. Et quand dans tes lettres tu t'étonnes que nous ayons massacré des hommes, et surtout des chrétiens hongrois, polonais et moraves, nous te répondrons brièvement que nous ne le comprenons pas non plus. Cependant, pour que nous n'ayons pas l'air de passer ces choses sous silence, nous t'adressons la réponse suivante : c'est parce qu'ils n'ont pas obéi aux ordres de Dieu ni de Gengis Khan et parce qu'ils ont tué nos ambassadeurs, ce pourquoi Dieu a ordonné qu'ils fussent détruits et les a mis entre nos mains. Au surplus, si Dieu ne le faisait pas, comment l'homme pourrait-il le faire ? Vous, habitants de l'Occident, vous croyez que vous, chrétiens, êtes seuls à adorer Dieu et vous le refusez aux autres. Mais comment savez-vous qui est digne ou non de cette grâce ? Nous aussi nous adorons Dieu et grâce à sa puissance, nous détruirons toute la terre de l'Orient jusqu'à l'Occident. Car si l'homme n'est pas lui-même la force de Dieu, que pourrait-il faire en ce monde ?

« Ce pourquoi Dieu a ordonné qu'ils fussent détruits et les a mis entre nos mains » ! Reprenant presque mot pour mot les paroles de son grand-père Gengis Khan, Güyük se considère comme l'épée providentielle de Dieu. Pillages, massacres, viols, exterminations sont voulus par Dieu qui a même choisi les Mongols comme instrument de sa vengeance. Ils ne sont pas des monstres mais des anges, des anges exterminateurs accomplissant la volonté divine. Oui, des anges exterminateurs. A moins qu'on ne préfère : des exterminateurs angéliques ?

A Chahr-i-Zohag en plein désert du Séistan, à quelques kilomètres de Bamyan où se dressent encore, en d'immenses niches creusées dans la falaise, des statues géantes de Bouddha, se trouvait une riche cité avec une forteresse imprenable. Quand Gengis Khan vint pour l'assiéger, il eut en effet beaucoup de mal pour y parvenir et dut livrer plusieurs assauts. Son petit-fils Mütügen (le fils de Djaghataï) fut tué au cours de ces assauts. Gengis jura alors de le venger et quand enfin il prit la ville, il fit exécuter toute la population − près de cent mille personnes dit-on − sans en excepter, cette fois, un seul habitant. « Pas une seule tête ne fut laissée sur un seul corps, pas un seul corps ne conserva sa tête. »

Aujourd'hui encore, on peut voir ce qu'il reste de ses murailles, devenues sœurs du sable, ocre moignons au bout des dunes, squelettes émaciés des massacres. Plus un humain jamais n'y habita. Plus une parole humaine jamais n'y retentit. Mais on peut y entendre le vent et le chuchotement des fantômes et le requiem intact des lamentations. Chahr-i-Zohag signifie la Cité des Murmures.

La danse des atomes

« Je suis le miroir du monde, puisque je suis un homme. »

Daimi

Ce grand désert de sel, Yunus le traversa porté par d'invisibles ailes, à la façon d'un ange mais d'un ange provisoire : à peine avait-il posé le pied sur l'autre rive que son ombre réapparut !

Retrouver son ombre, même pour quelque mystique, doit sûrement procurer un grand soulagement. Car être déserté par son ombre, cette si fidèle compagne de soi-même (qui par nature répugne à toute séparation de corps) ne peut que provoquer angoisse ou désarroi. Je n'apprécierais guère, l'avouerais-je, que mon ombre me quitte ainsi, en une sorte de désinvolture, me laissant livré sans défense à la part la plus opaque de moi-même, oui, livré sans défense aux insolences comme aux brutalités de la lumière...

Mais peut-être Yunus avait-il rêvé tout cela, en une extase intime comme il lui arrivait d'en éprouver soudainement, avait-il rêvé cette aérienne traversée, cette si discrète et si légère lévitation ? Peut-être avait-il parcouru ce désert de sel à la façon d'un somnambule, les yeux clos et l'âme ouverte, offerte à l'impossible, mené par une force impérieuse et aveugle mais assez avisée pour l'avoir écarté des mortelles fondrières où il aurait pu disparaître !

Restait à franchir la steppe jusqu'à Konya, la capitale du sultanat de Roum dont dépendait le tekké de Tapuk et où vivait, enseignait le maître incomparable qu'il rêvait depuis longtemps de rencontrer. La steppe qui l'en séparait se révéla moins aride, moins inhumaine que celle qu'il venait de franchir. On y croisait des campements de nomades, on y trouvait des chemins nettement tracés et même, à mi-distance, un *han*, un *karwan säraj*, un caravansérail. Un mot que j'ai aimé d'emblée quand je le découvris, adolescent, dans un roman de Jules Verne car il était fait de deux termes magiques, résumant à eux seuls l'image que j'avais de l'Orient : sérail et caravane. Le premier surtout m'attirait car le second évoquait un univers masculin, un monde de chameliers, de cavaliers enturbannés, de propos d'hommes le soir autour du feu. Sérail, lui, évoquait au contraire le monde clos des femmes dans les grands palais des sultans, l'alcôve discrète des odalisques, des concubines, un monde entièrement féminin où, en place de braiments d'ânes ou de blatèrements de chameaux, on surprenait les accords nonchalants d'un luth, le battement feutré des tambours rythmant la danse d'une esclave, mille rires, chuchotements, soupirs et autres cris plus intimes encore !

Yunus, lui, ignore tout des sérails, des harems et des odalisques. Probablement aussi ignore-t-il tout des femmes. Jamais en tout cas il n'y a fait la moindre allusion. L'amour est pour lui le domaine de celui qu'il nomme l'Ami qui, semble-t-il, vient le visiter quelquefois. Ce soir, ou plutôt cette nuit, du haut de la terrasse du caravansérail, il regarde la steppe inondée de lumière. Cette étendue qui apparaît le jour comme une esquisse d'immensité vite arrêtée par l'horizon devient ici sous la clarté lunaire un espace sans limites et surtout sans substance, dilaté par la lumière subtile, presque insidieuse, qui baigne toute chose.

Dans la cour du caravansérail, des marchands et des pèlerins insomniaques s'affairent en discutant autour d'un feu. Leurs sourds palabres se mêlent aux souffles des dormeurs rythmant les murmures de la nuit de leurs ronflements réguliers. Yunus, lui, veille sous la lune. Le chemin fut long, éreintant, pour venir jusqu'ici mais il ne peut pas dormir : la ferveur le tient éveillé et cette nuit dont la lumière diffuse abolit la distance entre l'Immense et lui, mettant son âme à vif, permet à mille questions de s'insinuer en lui, une à une, en profitant des failles de sa fatigue. A quoi bon passer son temps sur les chemins ? Pourquoi rechercher d'autres maîtres ? Je sais pourquoi les norias pleurent mais j'ignore pourquoi en cet instant je pleure moi-même ! J'attends, je veux une réponse même si elle n'est qu'un souffle indistinct, un jappement de chien, un appel étouffé ou le soupir

d'un dormeur rêvant tout haut. Je sais que l'Ami
préfère le langage des choses au langage des
hommes, qu'il s'exprime à travers tout ce qui bruit
en ce monde, les buissons, les ruisseaux, les oiseaux
ou le vent du désert. Le silence lui-même peut être
sa réponse mais alors comment la déchiffrer ? Cette
réponse, la trouve-t-on uniquement sur les chemins
ou dans les tekkés, les mosquées, les médressés où
l'on enseigne le Coran ? La trouve-t-on dans l'éva-
sion suprême ou dans la réclusion suprême ? La
trouve-t-on dans le vent nomade ou dans son
propre souffle ? En prononçant le nom de l'Aimée ou
celui de l'Ami ? En Le préférant, Lui, à tout être
humain ou en Lui préférant tout être humain ? Et si
moi j'ai besoin de Lui, a-t-Il, Lui, besoin de moi ?

Les conversations ont cessé dans la cour. Tous les
voyageurs dorment. Seul un derviche, adossé au mur
de l'entrée, le visage baigné par la lune, murmure
sans fin les noms de Dieu en égrenant un chapelet.
Ses lèvres frémissent, juste effleurées par le souffle
des mots. Avec sa bure blanche, son turban à moitié
défait dont les bandes ruissellent sur ses épaules et
sur son torse, on dirait Lazare chuchotant pour lui
seul d'inaudibles secrets.

Aux questions de Yunus, nulle réponse, bien sûr,
n'est venue. L'Ami se serait-Il endormi Lui aussi ou
s'est-Il absenté du monde ? Est-Il là-haut sur les
chemins d'étoile ou dort-Il au cœur des galaxies, ces
caravansérails de l'Immense ? Aucun bruit, aucune
parole ni souffle, ni réponse. Si ce n'est l'aurore inci-

sant brusquement l'horizon de son scalpel livide. Les premiers chiens aboient. Flamboie déjà le jour atone.

Dans la grande salle au sol de tapis rouges, les derviches commencent leur lent tournoiement au son de la flûte ney, simple roseau percé de trous dont les sons semblent susurrer les souffles mêmes de l'âme et de trois tambourins tenus par des musiciens assis à même le sol. Enveloppé dans sa tunique noire, image de la cécité de l'homme prisonnier de ce monde, et coiffé de la haute toque de feutre, image, elle, de la pierre tombale, le cheikh, pôle immobile de la danse, préside au déroulement du samâ, ce rituel où les derviches vêtus de blanc reproduisent la lumineuse rotation des planètes et la danse enfiévrée des atomes. Ici chaque pas, geste ou couleur est un symbole. Étendre les bras avant de commencer la danse, c'est accepter les dons du ciel, la descente de la grâce divine, s'apprêter à recevoir les énergies d'en haut par la main droite dont la paume est tournée vers le ciel et les diffuser vers la terre par la main gauche dont la paume est tournée vers le sol. En tournant ainsi lentement puis de plus en plus rapidement sur lui-même le derviche, par le jeu et le pouvoir de ces deux paumes inversées, attire et concentre sur lui les énergies du monde qui traversent son corps comme un éclair au ralenti, muant ce corps en réceptacle des orages, des embellies de l'Invisible.

Le tekké de Konya, ce tekké des derviches tour-

neurs, était le domaine de celui que chacun surnom-
mait le Maître, Mawlânâ, qui se disait lui-même
l'Éperdu d'amour, pour qui la danse était la prière du
corps et la musique, la porte de l'extase. Pour lui,
rien ne pouvait sourdre de l'homme ni s'accomplir ni
s'épanouir ni s'embellir en lui sans la jubilation du
corps et sans l'exultation du cœur, seules voies pour
que l'être humain puisse devenir un Éden vivant.

Un jour qu'un disciple lui demandait : « Maître,
pourquoi t'adonnes-tu ainsi, nuit et jour, à la
musique ? », il répondit : « Parce qu'elle est pour moi
comme le grincement des portes du Paradis. – Moi,
je n'aime pas les portes qui grincent » répliqua le
disciple. A quoi Mawlânâ répondit : « Parce que tu
les entends seulement quand elles se ferment. Moi,
je les entends quand elles s'ouvrent. »

Est-ce à cela qu'aspirait Yunus ? A cette musique
qui inonde et déborde l'âme et vous ouvre – même
en grinçant – les portes du Paradis ? A ce vertige du
samâ où le danseur s'abandonne à l'Ami ou l'Amant
dans l'ivresse du tournoiement ? Yunus avait-il véritablement envie ou besoin de devenir noria vivante ?
Aspirait-il à se perdre ou à se retrouver ? A s'oublier
ou à se reconnaître ? Dès le lendemain de son arrivée, ivre encore de la danse à laquelle Mawlânâ
l'avait convié d'emblée, il l'accompagna dans le jardin qui jouxtait le tekké, près du mausolée où reposait Baha ud-Din, le père de Mawlânâ. Celui-ci avait
dû, vingt ans plus tôt, quitter le Khorassan, pays
natal de Mawlânâ, pour fuir l'invasion mongole. Il

chemina longtemps avec toute sa famille, passant par La Mecque, Bagdad et Arzanjân avant de venir s'installer en Anatolie et de s'établir à Konya. C'est à Bagdad qu'arrêté devant la ville par les sentinelles du sultan qui lui demandaient d'où il venait et où il se rendait, il fit cette réponse célèbre qui lui ouvrit les portes de la cité : « Je viens de Dieu et je vais à Dieu. » Certains prétendent qu'en réalité, il aurait dit : « Je ne viens de nulle part et je ne vais nulle part. » Et d'autres qu'il aurait dit plus précisément encore : « Je viens du Néant et je vais au Néant. » Mais dans ce dernier cas, les portes de la ville se seraient-elles si facilement ouvertes ?

Quoi qu'il en soit de cette réponse, Baha ud-Din ne quitta plus Konya où il enseigna et mourut et où son fils Mawlânâ lui édifia un mausolée où ils reposent tous : Baha-ud Din, Mawlânâ, ses deux femmes, ses deux fils et son petit-fils. Détail curieux, son tombeau est une stèle dressée verticalement car Baha ud-Din fut enterré debout. Quelques instants avant sa mort, il aurait vu le Prophète en personne venir au-devant de lui. Il se serait levé pour le rejoindre et serait mort ainsi. Il semblerait bizarre ou incongru aujourd'hui d'enterrer quelqu'un verticalement. On enterre toujours les morts allongés puisqu'ils sont dans un cimetière. Mot (on l'oublie trop souvent) qui signifie simplement : le dormoir. L'on ne saurait décemment contraindre les morts à sommeiller – à dormir debout au sens propre – en attendant le Jugement dernier ou tout autre événement cosmique. Mais les peuples orientaux n'ont pas de ces scrupules. Beaucoup de héros ou de saints sont enterrés debout, en une dormition verticale qui les prépare en quelque sorte à l'ascension finale et à la rédemption. En Occident, les morts sont d'abord des gisants, de purs dormants. En Orient, en tout cas dans ce tekké, ils sont au contraire des veilleurs, des veilleurs d'éternité.

Mawlânâ, lui, veille juste à côté de son père et de son fils aîné Sultan Walad dans un imposant sarcophage recouvert de brocarts d'or et d'argent. Les multiples veilleuses qui brûlent dans la pièce, les murs partout recouverts d'inscriptions coraniques, les grands turbans disposés à la tête des sarcophages et surtout le défilé constant d'une foule de pèlerins venus de toute la Turquie composent une suite d'images sereines, une procession fervente et familière. Un jour que j'essayais de déchiffrer une inscription brodée sur le tissu recouvrant l'une des tombes, je remarquai un paysan qui priait juste à mes côtés. Les yeux fermés, les deux paumes tournées vers le ciel dans la position rituelle des orants, il priait avec une telle intensité que la foule le bousculait sans même qu'il s'en aperçoive. Ce n'était pas un dormant de pierre qu'il était venu visiter, ni un gisant, mais un veilleur, un veillant pourrait-on dire qui tôt ou tard allait se relever. Un maître et ami momentanément immobile mais prêt à reprendre, lorsque le temps serait venu, ses banquets, ses prières et ses danses mystiques. Car Mawlânâ vécut une vie d'une intensité incroyable, dans l'ivresse constante et partagée de l'amour, de l'amitié. Il lui fallait chaque jour non pas s'étourdir de musique et de danse mais se charger, par elles, de gravité.

Gravité. Richesse de ce mot qui dit à la fois pesanteur terrestre et légèreté céleste. En tournant des heures durant au rythme de la flûte, les derviches ne devenaient-ils pas eux aussi des astres humains, de charnelles planètes gravitant autour d'un soleil invisible? Ne devenaient-ils pas des atomes conscients parmi les millions d'atomes inconscients dont notre monde est fait? Car Mawlânâ, en ses extases, improvisait des poèmes et des chants qui parlaient d'atomes justement, d'atomes qui tournent et qui dansent, d'atomes qui sont au cœur du monde comme des soleils réduits et qui recèlent une telle énergie que chacun pourrait réduire notre monde en cendres!

Jour, lève-toi! Tous les atomes dansent!
Dansent aussi les âmes extasiées.
Tous les atomes dansent dans l'air,
Sans retenue, dansent comme des fous
Car chacun d'eux, en son bonheur ou son malheur,
Est épris d'un soleil, d'un soleil indicible.

Est-ce cela que voyait, qu'imaginait, que pressentait le paysan priant à mes côtés près du tombeau de Mawlânâ? Des atomes, des soleils, la danse des particules qu'on dit élémentaires mais que Mawlânâ eût peut-être appelées subtiles, ces milliers de chocs, de rencontres, de trajectoires, de tournoiements vertigineux, comme si elles aussi dansaient autour de leur noyau un samâ cosmique?

Pour Mawlânâ, les atomes ne tournent pas autour du soleil par gravité pure mais par amour parce qu'ils subissent l'attraction de l'astre dont ils reçoivent la lumière. Si l'on songe qu'une simple et minuscule particule – de celles qu'on dit précisément élémentaires – peut, dans une chambre à bulles, laisser sa trace fugitive, ces boucles, ces spirales lumineuses qui sont les galaxies et les éclairs de l'infime, quelle trace peut laisser en l'homme cette danse des atomes dont il est constitué, cette ronde et cette rotation des feux célestes qui, pour Mawlânâ et ses disciples, sont d'abord danse, chant, musique, rituel et procession célébrant l'énergie manifestée de l'Ami et de l'univers? Ainsi s'achevaient ces samâs auxquels Yunus participa souvent; comme la réplique, sur l'aire du tekké, de la danse des astres accompagnée par la musique des anges dont la flûte susurrait l'haleine : moins une prière qu'un élan, un mélodieux vertige opposé à la mutité du néant, moins une méditation qu'une noce avec les forces invisibles et subtiles du monde.

Quand Mawlânâ officiait à Konya, dans le tekké que son fils Sultan Walad agrandira plus tard et qui deviendra le foyer de l'ordre des derviches tourneurs, la ville et la province appartenaient encore aux sultans seldjoukides. Ils avaient pris soin de l'embellir en édifiant mosquées et médressés, d'en faire, malgré la menace insistante des Mongols, une oasis de paix et de ferveur. Konya, comme Cordoue ou Séville en Andalousie, devint un centre où enseignèrent des maîtres exceptionnels et surtout partisans de la tolérance. Mawlânâ disait d'ailleurs de cette ville : « Appelez-la la Ville des saints car tout enfant qui y naîtra deviendra un saint. Tant que le corps béni de mon père et ceux de sa descendance resteront ici, elle sera protégée du sabre et de l'épée. Ses ennemis ne pourront rien contre elle. Et même si elle devait un jour être ruinée, notre trésor y resterait enfoui. »

Cette prophétie fut faite au temps où les Mongols dévastaient l'Iran, la Syrie et le reste du Proche-Orient. Konya seule échappa au désastre. Les Mongols l'assiégèrent mais le sultan s'étant soumis à leur autorité, ils se contentèrent d'y établir un gouverneur. La légende raconte évidemment l'histoire autrement. Quand Batu, le général de l'armée mongole, se présenta devant la ville, la population terrorisée vint implorer la protection de Mawlânâ. Celui-ci gagna alors une colline proche et se mit en prière. En le voyant, les Mongols voulurent le cribler de flèches mais ils ne purent jamais parvenir à bander leurs arcs. Batu, lui, réussit à décocher une flèche qui revint sur elle-même et retomba juste à ses pieds. Il voulut alors lancer son cheval au galop mais la bête refusa de bouger et il fut impossible de la déplacer. Le général courut, fou furieux, en direction de Mawlânâ mais s'écroula bientôt, les jambes paralysées. De guerre lasse (si l'on peut dire !) il abandonna la partie et dit : « Que la guerre s'arrête ici ! » Et les Mongols levèrent le siège.

Ainsi, Konya resta intacte. Avec ses mosquées, ses médressés, ses fontaines et ses jardins, Konya, la plus belle des villes seldjoukides.

Seldjoukide. Mot rêche et difficile à prononcer pour une bouche inexperte en langues altaïques. Un mot où l'écueil des consonnes surgit au milieu de la fluidité des voyelles. Impossible, quand on se promène en ces contrées anatoliennes, de ne pas rencontrer les traces, somptueuses ou naufragées, des sultans seldjoukides, les premiers Turcs islamisés à avoir occupé l'Iran puis l'Anatolie avant d'y être remplacés par les Osmanlis et les dynasties ottomanes. En fait, leur règne fut plutôt bref : trois siècles à peine depuis l'aube magique où, sur les rives du Syr-Daria, Oghuz Khan, héros de cette lignée mythique, vit entrer sous sa tente à la pointe du jour une forme lumineuse qui se matérialisa aussitôt en un grand loup à la crinière et au pelage bleutés, un grand loup qui lui dit : « Suis-moi,

Oghuz, je vais marcher devant toi pour te mener à la conquête du monde » et Oghuz suivit aussitôt le loup, abandonnant son campement sur la rive du fleuve et, suivi de ses hommes, traversa toute la Transoxiane pour arriver jusqu'en Iran où il devint un bâtisseur de villes, un fondateur d'empire, un empire dont la conquête fut continuée par ses deux fils Seldjouk et Toghul Bey qui s'emparèrent d'Ispahan dont ils firent leur capitale et dont ils agrandirent et embellirent murailles et monuments, édifiant médressés, mosquées et caravansérails (mosquées au dôme et au minaret bleus en souvenir du loup au céleste pelage !) ; leurs descendants Arslan le Lion et Malik Chah, progressant toujours vers l'ouest, finirent par atteindre l'Anatolie jusqu'aux rivages de la mer Égée. Là prit fin l'épopée bleue des Seldjoukides. Et des autres dynasties cousines ou rivales, parfois même cousines et rivales, qui, trois siècles durant, se partagèrent les déserts, les plaines et les montagnes de l'Inde jusqu'à l'Iran et dont les noms évoquent de siècle en siècle, de sultanat en sultanat, les jardins et les oasis de mille et un royaumes : Toulounides, Ikhchidides, Ghaznévides, Ghorides, Inalides, Nisanides, Ortakides, Karamanides, Eretnides, Danisménides, Mangucékides, Seldjoukides enfin, derniers venus sur les pas du loup bleu, tous rois réels et non mythiques, roi « ghazis » combattants de la

foi, comme ce prince d'Osman qui se proclame
« Sultan ghazi, fils de ghazi, héros du monde,
marquis des horizons ». Marquis des horizons !
Voilà qui, des rivages de l'Égée et de la mer
Noire, nous ramène à cette aube mythique où
un loup bleu pénétra dans la tente d'Oghuz
Khan et l'amena à conquérir le monde.

Chacun dira : Ce n'est qu'une belle légende.
Aucune histoire humaine ne s'est jamais
construite sur les paroles ni sur les pas d'un
loup. Cela est vrai et toute cette aventure, cette
ferme progression du Khorassan jusqu'aux rives
de l'Égée avec la fondation, l'agrandissement,
l'embellissement de tant de villes, Samarcande,
Ispahan, Nidge, Kayseri, Erzéroum et Konya
s'est faite comme tant d'autres par l'épée, le feu
et le sang mais aussi par cette multitude de fondations, ces caravansérails, ces façades si délicatement ouvragées des médressés et des mosquées, façades qui s'échelonnent de Sivas à
Divrigi et à Bursa et qu'il faut longuement regarder, contempler, dont il faut toucher, caresser
les mille entrelacs et arabesques de la pierre, les
arcs, courbes, arceaux, feuilles, rosaces et
médaillons, en suivant de la main les belles inscriptions coraniques, tous ces vertiges pétrifiés
qui ornent par exemple le portail de l'Ince
Minaré à Konya : art toujours sans visage, sans
figure ni référence à l'homme ni à l'humain mais
qui inventorie, imagine, étale, impose en une

luxuriance inégalée tout un floraire céleste où les mots du Coran deviennent rameaux et branches, dentelles de devises, broderies de prières.

Au terme de cette avancée sur les terres de l'Anatolie, de ce regard jeté sur les façades et les portails des médressés et des mosquées, il faut aussi pousser la porte du Büyük Karatay Médressé de Konya, une ancienne école coranique, pour retrouver sur ses murs et sous sa coupole la lumière bleue des origines, en ces faïences émaillées de soleils auroraux se levant sur un ciel d'azur, dont les rayons prolongés jusqu'en haut de la voûte dessinent un fin réseau de galaxies céruléennes dans la ferveur de la nuit seldjoukide.

La grande vallée

« Venez et faisons con-
naissance
Rendons aisé le malaisé
Aimons et tâchons d'être
aimé
Ce monde n'appartient à
personne. »

Yunus Emré

Rien de plus passionnant dans un paysage que de voir la nature imiter les sculpteurs et s'amuser à faire l'artiste ! Depuis son départ de Konya, Yunus est retourné au caravansérail où, cette fois, il sombra dans un sommeil de plomb, malgré les braiments obstinés des ânes s'inquiétant sans doute de l'absence de lune alors que les chameaux, en leur nonchalance statufiée, dormaient d'un sommeil apparemment sans rêves. Il en repartit le lendemain pour gagner les provinces de l'est et se rendre, au-delà des monts et des gorges de la Cappadoce, dans le hameau où vivait l'autre maître. Chemins bien différents des chemins de l'aller : après quelques heures de marche dans la steppe, le paysage commença à se bosseler, à se fissurer, à s'encolérer et au terme du grand plateau, à se muer en un délire d'enflures, de boursouflures, d'œdèmes, de monstrueux bubons que l'obstination du ciel et de la terre, les pluies et les eaux souterraines avaient creusés, rongés, entassés, amoncelés en constructions féeriques ou grotesques, en pics, crêts, mamelons, magmas aux épanchements sans retenue, aux érections obscènes, en cônes colossaux rongés d'alvéoles béantes, en dômes enchevêtrés, arcs vertigineux, tout un théâtre de rocs et de tufs, toute une apocalypse pétrifiée.

A Konya, Yunus resta un mois aux côtés de Mawlânâ. Il y pria, il y chanta, il y dansa, et surtout il s'y enivra. Il connut ainsi toutes les sortes d'ivresse, celles de la danse, de l'extase et du vin, il vit passer beaucoup de monde, disciples, pèlerins, visiteurs, derviches et notables. L'atmosphère du tekké tenait certains jours du couvent et d'autres de la fête dionysiaque. Les samâs succédaient aux samâs et la musique portait les auditeurs vers des sommets si hauts et surtout si inhabituels que le vertige les prenait, comme si eux-mêmes tournaient au rythme du ney et du rebab. Mais en ces altitudes raréfiées, tout ce qu'on risquait était non de s'y perdre mais de se retrouver, non de s'y oublier mais de se souvenir ou se ressouvenir qu'à danser du même tournis que les atomes, du même tournoiement que les astres, on devenait soi-même le vivant pivot de ce monde !

Yunus fut plutôt heureux à Konya bien que sa nature le portât plus à la méditation tranquille qu'à la danse des âmes et des corps. En ce lieu accueillant, bruissant de tous les appels du monde, bruissant du chant des hommes mais aussi de celui des soleils en folie, en ce tekké fervent et familial, une image, une promesse, un accomplissement naquirent et se maintinrent. Un monde de tolérance au sein des pires intolérances. Un concile d'harmonies au cœur des combats du désordre. D'ailleurs, si aujourd'hui encore, plus de sept siècles après sa mort, des foules entières défilent devant le mausolée de Mawlânâ, lui qui jamais ne se voulut prophète ni messie mais « un atome pensant parmi tous les atomes qui dansent sans penser », mais « un soleil chantant parmi tous les soleils qui brûlent sans chanter », c'est que ses prophéties sur le destin de Konya ne sont pas restées lettres mortes. Bien que le tekké de Mawlânâ soit devenu aujourd'hui un musée plus qu'un lieu de culte vivant, le trésor y est toujours enfoui. Chaque année, à l'automne, on peut assister à la représentation d'un samâ. Reconstitution, restauration ou régénération ? Reconstituer, c'est faire ce que fit Cuvier avec un os de dinosaure : réassembler toute la bête. Mais ce faisant il n'a reformé qu'un squelette. Restaurer c'est partir d'un vestige pour le restituer à son état ou à son être d'origine. Là encore, ce n'est pas créer. Régénérer seul a un sens, puisque le mot veut dire réengendrer, refonder, recréer. En un mot, exhumer le trésor enfoui.

La nature délirait vraiment : à l'extrémité du plateau, le paysage sombrait dans la névrose des tufs, dans la paranoïa des laves et des cendres. Un paysage comme déformé, privé de toute structure, de toute identité reconnaissables, un paysage prématuré, aurait-on dit, fossilisé avant même d'être entièrement venu à l'existence, d'où ces entassements hâtifs, ces jeux anachroniques : ici, d'énormes dents rongées d'insondables caries, là des éponges géantes et minérales déchiquetées par des forces aveugles, là-bas les croupes grises de pachydermes enlisés dans un rêve fossile, plus loin de vertigineuses termitières creusées de milliers d'alvéoles et tout au loin des pitons élancés surmontés de sombres capuchons !

Oui, rien de plus passionnant que de voir la nature s'amuser à jouer l'artiste ! Bien sûr, quand ces épanchements de lave s'étaient produits, aucun être humain ne vivait encore sur la Terre, susceptible d'être impressionné. Il n'empêche qu'il y eut là un effort méritoire de l'Eau, du Ciel, du Vent et de la Terre pour, à partir des molles déjections des volcans (matière inespérée et idéale en l'occurrence), réaliser ces rêves de géant autodidacte, ces cauchemars admirables, ce chaos grandiose qu'aucune troupe – fût-elle titanesque – n'aurait pu concevoir car pour parvenir à un tel résultat, il eût fallu non pas organiser mais désorganiser la nature des matériaux, choisir l'invraisemblable, choyer l'aléatoire ou l'impossible à seule fin d'édifier – pour qui d'ailleurs ? – ces labyrinthes de grottes, de tunnels, d'impasses et de chemins secrets, tout ce théâtre de formes et de figures hallucinantes.

Au fond de la plus grande des trois vallées qui coupaient le domaine des monstres ou des merveilles, les habitants des villages environnants avaient creusé le tuf tendre des parois pour faire des pigeonniers dont les entrées, savamment et délicatement décorées, évoquaient de mystérieuses et troublantes calligraphies. Des milliers d'oiseaux avaient élu domicile au plus profond de ces vallées où coulaient de petits ruisseaux irriguant des vergers de pommiers, de pruniers, d'abricotiers ainsi que quelques vignes. A la saison de la cueillette, les paysans venaient s'installer quelques jours, logeant dans les cellules et réfectoires abandonnés par les ermites et les moines chrétiens qui les avaient occupés jadis.

A mesure qu'il descendait le long des pentes pour rejoindre le fond de la Grande Vallée, Yunus voyait briller l'albâtre des crêts et des aiguilles, rendu translucide par les rayons du soleil couchant, resplendir les cimes des peupliers s'agitant sous le vent du soir et il eut cette pensée : Voici la fraîcheur et la paix d'une descente vers le paradis ! De fait, l'Éden s'ouvrait à quelques pas de lui. Au pied de la falaise, au milieu des vergers chargés de fruits et du chuchotement de l'eau, il aperçut un groupe de paysans préparant le repas du soir. Ils lui firent signe d'approcher et, en voyant sa bure de derviche, une jeune fille lui offrit un bol de yaourt fermenté. Il le but lentement, très lentement, le savourant à petites gorgées et, après les ivresses récentes de la danse et du vin, il ressentit une nouvelle ivresse, plus douce, plus subtile et pour tout dire moins céleste, celle que fait naître dans le cœur d'un derviche le sourire d'une jeune fille ouvrant pour lui, et sans qu'elles grincent, les portes du paradis...

Jeune fille et paysans dorment à présent dans la Grande Vallée mais Yunus, lui, ne dort pas. Les yeux fixés sur un faisceau d'étoiles brillant dans l'entre-bâillement des falaises, il écoute à deux pas de lui la tranquille respiration de la paysanne endormie. Jamais, jusqu'alors, il n'avait eu l'occasion de dormir si près d'une femme et de surprendre ainsi sa respi-ration dans la nuit. A la lueur des braises du foyer qui achèvent de se consumer, il devine le corps de la jeune fille, enroulée dans une simple couverture, l'une de ses mains posée sur sa poitrine comme une étoile de chair. A travers son souffle régulier et ras-surant, c'est toute la vallée qui respire, ses ruisseaux, ses arbres, ses falaises et le ciel lui-même en sa sourde splendeur. Oui, même la vallée, même les gorges respirent (mais n'est-ce pas là une chose naturelle ?) et l'homme est admis quelquefois à sur-prendre cette respiration et à y suspendre son propre souffle. Pour que ce miracle se fasse, il faut se trou-ver au cœur d'une nuit semblable, d'une nuit qui est offrande de la terre et du ciel et surtout il faut – ce qui est rare dans la vie d'un derviche – se trouver près du corps respirant d'une jeune paysanne endor-mie sous l'innocence des étoiles. Étoiles dans le ciel, étoiles sur la terre. Est-ce lui, Yunus, qui, dans le don de cette nuit, invente cette image, ces cendres rou-geoyantes et ce réseau de braises vives dessinant sur la nuit du sol de mouvantes constellations, tout un Zodiaque miniature, un ciel inverse, un infini si

proche que Yunus en sent le rayonnement et la chaleur sur son visage ? Un léger vent : un tison mori-
bond devient supernova, un autre une comète ivre
s'enlisant dans le ciel de cendres. Ces étoiles ter-
restres vont bientôt s'éteindre, après un ultime sur-
saut de lumière. Yunus est fasciné par ce spectacle,
ce reflet ou cette imitation du ciel céleste sur la Terre.
Lequel des deux imite l'autre ? Est-ce l'Infime qui
imite l'Immense ou l'Immense qui imite et agrandit
l'Infime ? Yunus n'a guère le temps de répondre à
cette insidieuse question : il vient de s'endormir,
enroulé dans sa bure, entre deux infinis.

Quand des armées s'affrontaient en terre anatolienne, des armées mongoles et seldjoukides, à
quoi pensaient les combattants et pensaient-ils
vraiment à quelque chose ? Contre les Mongols,
les Seldjoukides défendaient leur territoire, leurs
foyers et leur religion bien qu'ils ne fussent eux-
mêmes que des implantés de fraîche date, venus
en conquérants au point qu'on peut se demander comment un occupant aussi récent pouvait
tenir pour patrie un sol qui, un siècle plus tôt,
était encore pour lui terre inconnue. Il faut
croire qu'ils apprécièrent assez cette terre et
même qu'ils la chérirent au point de la tenir

pour une nouvelle patrie, de la croire à eux pré-
destinée par quelque volonté divine comme une
terre ancestrale! Après chaque conquête, terres,
villes, monuments, habitants, devenaient la pro-
priété des vainqueurs mais qu'advenait-il des
autres biens, ceux qu'on ne pouvait ni mesurer
ni limiter, les traditions, les religions, l'attache-
ment au sol natal? Les Mongols campaient aux
portes de l'Anatolie et tandis que Töregene, la
veuve d'Ogodeï devenue régente, luttait pour
imposer son fils Güyük comme nouveau Khan,
les armées mongoles avançaient vers les
marches de l'Arménie et le pays de Roum, ou
plutôt elles n'avançaient pas, elles roulaient
comme une houle immense sous le commande-
ment de Batu, comme un lent et apocalyptique
raz de marée qui déferla d'abord sur les villes de
l'Anatolie orientale, les encerclant et les
occupant une à une : Erzéroum, Kayseri, Tokat,
Sivas. Pour les Mongols, on savait ce qu'ils
attendaient, ce qu'ils exigeaient de la guerre, on
savait ce qu'en pensait, ce qu'en attendait, ce
qu'en exigeait Gengis Khan, leur maître et leur
modèle à tous dont le corps après que son âme
« fut montée au ciel dans l'année du porc »
reposait maintenant dans un lieu tenu secret
mais que l'on savait situé dans le nord de la
Mongolie non loin des sources de l'Onas, de la
Tola et du Kérülen, près du site de Burqan Qal-
dun où encore jeune, après une longue partie de

chasse, il s'était reposé au pied d'un arbre solitaire et où Tengri le dieu du Ciel l'avait gratifié d'une vision au cours de laquelle il entrevit la suite de sa vie, son investiture, ses conquêtes, sa puissance et ses mille amours, si bien que ce jour-là il jura qu'il reviendrait à cet endroit précis pour s'y reposer à jamais, ce qui se fit après qu'on eut égorgé, selon le rituel en usage, un certain nombre de ses épouses et de ses concubines (comme elles étaient cinq cents, dit-on, il n'y eut évidemment que l'embarras du choix tout en respectant la rigoureuse préséance de rigueur en la circonstance), égorgé aussi tous ceux qui s'étaient trouvés par hasard sur le trajet (et ils étaient nombreux puisque le convoi traversa toute la Mongolie) pour qu'ils n'ébruitent pas la nouvelle de la mort du Grand Khan ou tout simplement parce qu'ils avaient eu la malchance de se trouver sur son passage et que pour les Mongols toute malchance étant la preuve que la victime est mal aimée du ciel, on peut donc l'égorger sans remords et sans sacrilège, égorgé aussi les ouvriers qui avaient préparé son tombeau afin que le secret soit bien gardé et il le fut puisque cette tombe nul jamais ne l'a retrouvée et que les restes de Gengis Khan demeurent secrètement enfouis sous l'arbre de l'illumination, depuis longtemps disparu lui aussi, enfoui avec ses armes, flèches, carquois, avec les coupes dans lesquelles il buvait et bien d'autres objets susceptibles de le servir dans le cours de sa vie future, puisque selon les croyances mongoles, l'éternité se passe à chasser, guerroyer, aimer et boire, les quatre occupations, les quatre vocations de tout Mongol sur la Terre et pour cela il fallait des armes et des coupes, des chevaux, des esclaves et des concubines, ainsi le Grand Khan reposait-il avec ce qu'il avait aimé, préféré, apprécié sur la Terre, oui, Gengis Khan savait pourquoi il entreprenait ces folles équipées qui lui valurent de constituer de son vivant, lui, le nomade, fils de nomade, le plus grand empire existant, non pour la seule gloire, les butins, les pillages et tout l'or du monde mais pour une raison plus profonde, qu'aucun conquérant avant lui ni même après lui n'osa jamais avouer, une raison inavouable en effet, révélée par un dialogue qu'il eut un jour avec Bo'ortchu, le plus vieux compagnon de son enfance nomade, à qui il avait demandé : « Quel est à ton avis le plus grand plaisir que puisse éprouver un homme ? » A quoi Bo'ortchu répondit : « C'est d'aller à la chasse un jour de printemps, monté sur un beau cheval, tenant au poing un épervier et un faucon et de les voir s'abattre sur la proie. – Non, dit Gengis Khan, pour moi la plus grande jouissance, c'est de vaincre ses ennemis, de les chasser devant soi, de leur ravir ce qu'ils possèdent, de voir les femmes qui leur sont chères le visage baigné de larmes, de monter leurs chevaux, de presser dans ses bras leurs filles et leurs épouses. »

Voir le visage des femmes baigné de larmes! Voici enfin l'aveu d'un conquérant, saisi à la source des lèvres et du cœur, un aveu dont aucun historien, spécialiste ou savant ne tiendra jamais compte car il est si étranger à tout ce qu'on pense être la cause des batailles et les buts des conquérants qu'il paraît incongru et même tout à fait incroyable.

Bien après, longtemps après ces funérailles, pendant la régence de Törogene, Batu (ce général mongol qui devait par la suite renoncer à prendre Konya) parvint aux défilés de Küse Dag où l'attendaient les armées seldjoukides. Inutile de décrire la bataille, elle n'eut pour ainsi dire pas lieu. Fidèles à leur tactique, les Mongols firent semblant de se retirer en voyant l'impossibilité de pénétrer dans les défilés. Les armées seldjoukides se mirent à leur poursuite, après quoi les Mongols purent les encercler et les massacrer à loisir. Mais ils n'exploitèrent pas leur avantage. Laissant sur place quelques troupes sous les ordres de Batu, ils désignèrent des gouverneurs pour gérer les villes principales et repartirent vers la Mongolie. L'Anatolie était captive des Mongols mais les sultans s'étant soumis à eux, le pays échappa aux massacres. D'ailleurs, le goût du luxe se substitua très vite chez les vainqueurs au goût du sang. Et le ruissellement de l'or à celui des larmes sur le visage des femmes.

L'entretien sous le mûrier

« Mille pèlerinages à la
Kaaba ont moins de valeur
que la conquête d'un seul
cœur. »

Haci Bektas Veli

Suluca Karahüyük. Un hameau de sept maisons au nord de la Grande Vallée où vivait l'autre maître, celui dont Yunus attend qu'il l'accepte ou qu'il le rejette, qu'il le sermonne ou l'encourage. L'homme en question – qui, lui, refuse le nom de Maître – se nomme Haci Bektas Veli. Retenez bien ce nom qui ne fut longtemps connu que des confréries qu'il créa et qui se multiplièrent par la suite dans toute l'Anatolie et plus tard dans tous les Balkans jusqu'à constituer des communautés si puissantes, si autonomes que beaucoup de sultans craignirent leur influence.

A l'entrée du hameau, le tekké d'Haci Bektas dont le nom signifie : le Précieux Pèlerin. Yunus frappe et cette fois la porte s'ouvre aussitôt. Le gardien s'incline devant lui et, après avoir traversé une première cour, le conduit dans une cellule où tout semble l'attendre : un tapis de prière, un Coran, un portrait d'Ali, le gendre du Prophète, surnommé le Lion d'Allah, une cruche où l'eau frissonne et pour tout lit un tapis de feutre. Et au-dehors le roucoulement intensif des colombes.

Yunus resta trois jours à prier et à méditer dans cette pièce sans que nul ne se manifeste. Deux fois par jour, le gardien venait changer l'eau de la cruche et déposer à même le sol un plateau contenant un bol d'ayran, du bulgur et du vin. Car on buvait du vin, ici. A travers les arcades bordant la cour et la lucarne éclairant la cellule, la lumière dessinait sur le sol mille entrechats d'ombres dansantes. Trois jours à prier, à méditer. A détailler le vivant ballet des ombres et des lumières. Et ce, dans un silence intense, agrémenté par le roucoulement des colombes nichant dans le jardin proche. Ponctué aussi, à des heures régulières, par les prières et les invocations dont Yunus percevait, malgré la distance, le rauque halètement, le souffle intensément rythmé. Ces chants incantatoires émanaient des profondeurs du corps, des alvéoles pulmonaires muées en cellules chantantes, montaient des milliers d'artérioles où bruissait la mélodie du sang pour finalement éclater dans l'oratoire du palais : le corps entier devenait réceptacle et même tabernacle des souffles.

Tabernacle : en écoutant cette obsédante – et en même temps fascinante – scansion des bouches, Yunus perçut soudain son corps avec une acuité et une intensité inattendues, un corps qui lui parut comme égaré hors de lui-même et qui se retrouvait et renaissait à l'écoute des souffles et des respirations du lieu. Un corps dont il devinait les rouages invisibles, les courants secrets, les marées jusqu'à ce jour insoupçonnées, toute une machinerie, tout un univers en attente, prêts à sourdre. Il ressentait le sang, la salive, la bile, l'air, les muscles, les nerfs, les moindres tressaillements de son corps. Un corps qui sûrement devait avoir aussi un ciel, des étoiles, une voie lactée, des chemins d'ombres et de lumière, des tracés d'astres et aussi une terre avec ses creux et ses aspérités, ses monts, ses gorges, ses béances et ses fleuves et leur lent murmure. Était-ce tout cela qu'il avait entendu bruire en ses oreilles en ses heures d'insomnie dans la Grande Vallée, le ressac en lui de l'océan qui l'habitait, de son écho dans les grottes sonores de sa chair tenant concile en ses entrailles ? Une simple respiration de femme à ses côtés, et aujourd'hui ce bouquet de souffles et de chants, lui ont révélé l'existence d'un monde infini, le monde viscéral de son corps.

> *Nous avons plongé dans l'Essence*
> *et fait le tour du corps humain*
> *Trouvé le cours de l'univers*
> *tout entier dans le corps humain*
>
> *Et tous ces cieux qui tourbillonnent*
> *et tous ces lieux sous cette terre*
> *Les soixante-dix mille voiles*
> *dans le corps humain découverts*
>
> *Les sept ciels, les monts et les mers*
> *et les sept niveaux telluriques*

L'envol ou la chute aux enfers
    tout cela dans le corps humain

Et la nuit ainsi que le jour
    et les sept étoiles du ciel
Les tables de l'initiation
    sont aussi dans le corps humain

Et le Sinaï de Moïse
    et la pierre et la Kaaba
L'Archange sonnant la trompette
    sont aussi dans le corps humain

Ce que dit Yunus est exact
    et confirmés furent ses dires
Là où va ton désir est Dieu :
    tout entier dans le corps humain.

Ces étranges paroles – que seuls alors perçurent les murs – parvinrent-elles néanmoins jusqu'aux oreilles d'Haci Bektas ? A peine Yunus les avait-il fredonnées que le gardien vint le chercher pour le conduire dans la salle des cérémonies. Assis sur un coussin blanc, Haci Bektas l'y attendait. Voyant Yunus, il se leva et vint s'incliner devant lui. Puis, prenant ses deux mains dans les siennes, il le fit asseoir face à lui et le regarda longuement dans les yeux, sans un mot, pendant un temps interminable.

Interminable, même pour Yunus. Même pour tout être averti, aguerri à la vérité comme à la révélation des rencontres. Combien de temps restèrent-ils ainsi, yeux dans les yeux ? Longtemps. D'ailleurs, faites vous-même l'expérience. Choisissez de préférence un inconnu, faites-le asseoir face à vous et regardez-le fixement dans les yeux, sans bouger, avec intensité. Combien de temps tiendrez-vous ou tiendra-t-il sans détourner les yeux ou sans pouffer de rire ? Très peu. Il est difficile à quiconque de demeurer ainsi dans un échange fixe et muet, fait d'affrontement autant que de contemplation, d'effronterie et de confrontation, en cette rencontre (décisive entre toutes) de deux pupilles, de deux miroirs. Imaginons Yunus et Haci Bektas, main dans la main, yeux dans les yeux, assis dans la lumière du matin au milieu de la grande salle, immobiles, silencieux, unis dans la sereine et amicale inquisition de leurs regards. Me revient alors en mémoire, en l'imaginant, ce dialogue entre Socrate et Alcibiade où le premier dit au second : « Si l'œil doit se voir lui-même, c'est dans un œil qu'il doit se regarder car c'est là seul qu'il peut surprendre sa propre image reflétée, son image réduite comme poupée de lui-même surgie dans la pupille de l'autre. Mais, continue Socrate, n'en est-il pas de même pour l'âme ? Une âme, si elle veut se connaître, n'est-ce pas dans une autre âme qu'elle doit se regarder ? »

Reste, bien sûr, à aller au-delà de cette rencontre spéculaire, à deviner, en scrutant l'œil de l'autre, non plus son âme propre mais celle du partenaire. A franchir le miroir et le mirage du premier œil, l'œil-reflet ou l'œil-apparence, pour accéder à la nuit dense, la nuit gravide du deuxième œil, l'œil-vérité ou l'œil-essence, en cette zone si intime, si ténue

qu'on nomme le fond de l'œil. Le font de l'œil, fau-
drait-il dire, tant sa vision peut devenir une source
de ravissement et de fraîcheur !

Ainsi ce matin-là, en les personnes d'Haci Bektas
et de Yunus, se rencontrèrent, se confrontèrent, se
connurent et se reconnurent le donateur et le
démuni, dans l'échange de leur âme réciproque.

Au-delà de la deuxième cour, s'étend un jardin
entouré de murs avec une fontaine, un bassin, des
parterres de roses et un vieux mûrier. Arbre plus que
centenaire dont les denses frondaisons donnent une
ombre vaste sous laquelle les derviches aiment venir
et se reposer. C'est là aussi qu'à la belle saison Haci
Bektas reçoit ses nombreux visiteurs. Ce tekké existe
toujours – tout comme celui de Mawlânâ –, il s'est
même agrandi depuis le temps de son fondateur et il
est devenu le musée de la confrérie des bektasis. Le
hameau s'est agrandi à son tour pour prendre le
nom du fondateur : Hacibektas. Le mûrier, lui aussi,
est toujours là mais ses branches sont si vieilles, si
vieilles et si lourdes qu'il faut les soutenir. Le parc
des derviches est devenu jardin public où les habitants viennent flâner et visiter le mausolée, édifié à
côté du mûrier, où repose le corps d'Haci Bektas. Cet
arbre est devenu au fil du temps un arbre propitia-
toire : il exauce, dit-on, le vœu de toute femme formulé au moment où elle lie à ses branches un mou-
choir. Plus qu'un arbre à vœux, c'est même un arbre
sacré. D'ailleurs, un petit panneau cloué sur son

tronc prévient le visiteur contre toute atteinte sacrilège : IL EST FORMELLEMENT INTERDIT DE GRIMPER SUR CET
ARBRE ET D'EN SECOUER LES BRANCHES. Sage précaution,
tant il semble valétudinaire ! Étrange alliance,
étrange pacte entre l'arbre et le monde humain.
Même enfoui au plus secret du cœur, un vœu est
toujours formulé dans une langue précise. Et comme
les femmes viennent de toute la Turquie chuchoter
leurs vœux à ses branches, il faut croire qu'il est également polyglotte !

Après une matinée entière passée en ce jardin à
regarder les femmes suspendre aux branches leurs
offrandes, je me suis fatalement posé l'insidieuse
question : Comment les arbres, certains arbres du
moins, perçoivent-ils ce qu'on leur dit dans le secret
des lèvres et du cœur ? Pour les habitants de
l'endroit, la réponse est claire : C'est l'âme d'Haci
Bektas, son esprit ou son ange gardien qui prend en
charge les demandes et éventuellement les exauce.
Haci Bektas aimait les femmes, elles étaient reçues
dans sa confrérie à l'égal des hommes, et c'est au
pied de l'arbre qu'il aimait venir rêver, réfléchir et
parfois enseigner. Et l'arbre a retenu de ses enseignements le pouvoir de comprendre, de compatir
aux détresses ou aux besoins des femmes !

Qu'enseignait donc Haci Bektas ? Des choses
claires, logiques mais difficiles à vivre en raison
même de leur simplicité. Pour lui, les hommes sou-
cieux de progresser en eux-mêmes et de rencontrer
Dieu relevaient de quatre sortes, selon leur stade

d'avancement : les Dévots, les Ascètes, les Gnostiques et les Amants.

Les premiers n'étaient qu'au tout début de leur chemin mais ils étaient engagés sur la bonne Voie et c'est pourquoi il les nommait les gens du Seuil. Car la dévotion, si sincère soit-elle, ne peut être une fin en soi, elle peut même être une impasse si elle se limite à la simple pratique des ablutions, des prières et des pèlerinages. Pour avancer dans la Voie, il faut à la dévotion ajouter réflexion et lucidité. Ne pas se contenter de lire ou réciter les Écritures à la façon d'un automate mais essayer d'en comprendre le sens apparent et, plus tard, le sens caché.

Les seconds comprenaient ceux qui, derviches ou non, engagés ou non dans la vie d'une confrérie, s'imposaient jeûnes et ascèses et pratiquaient le dhikr en invoquant sans cesse le nom de Dieu. Mais là encore l'invocation ne suffit pas ni la pratique des chants et de la danse. Il faut que s'ajoute à cela l'amour du prochain, faute de quoi ces pratiques se referment en quelque sorte sur elles-mêmes, deviennent comme une clôture de l'âme et du cœur ne laissant au disciple qu'un face à face avec lui-même. Pour Haci Bektas, toutes ces pratiques, prières, ablutions, invocations, ascèses, chants et danses n'avaient de sens qu'en impliquant, qu'en exigeant aussi du disciple l'amour du prochain.

Les troisièmes, les Gnostiques, ont acquis la connaissance et la compréhension des Écritures ainsi que le sens de la Voie mais il leur manque à eux aussi l'amour d'autrui. C'est pourquoi Haci Bektas les comparait à l'eau, qu'elle soit source ou rivière bienfaisante orientée vers le monde total de la mer, eau qui nourrit et qui purifie ce qu'elle touche mais qui est limitée par ses rives, et prisonnière en quelque sorte de son chemin.

Seuls les derniers, c'est-à-dire les Amants, ayant franchi les quatre stades de leur avancement et les quarante degrés de leur initiation (chaque stade ayant dix degrés) pouvaient se prévaloir d'avoir congédié en eux toute trace d'égoïsme, de possession, d'orgueil, d'enfermement dans les fausses certitudes du cœur et de l'esprit, et surtout de tout sentiment d'appartenance à une confrérie. Ils devenaient alors véritablement des Amants et ils pouvaient rencontrer Dieu par la seule maîtrise d'eux-mêmes puisque Dieu, pour Haci Bektas, ne réside nulle part ailleurs qu'en nous-mêmes. Voilà pourquoi, parti de l'homme, le chemin d'affranchissement, d'épanouissement revient à l'homme. Mais un homme devenu totalement différent du premier. Un homme dont le corps contient tout l'univers, dont le cœur est devenu résidence de l'Autre et qui mérite alors non seulement le nom d'Amant, mais celui d'Aimé.

Pourquoi a-t-on inventé les parcs, les jardins et surtout les fontaines et les bassins d'eau douce, espaces d'agrément, de détente, de loisir aménagés pour l'homme, dirait-on aujourd'hui et dont le premier, ne l'oublions pas, fut l'Éden, qui était certainement tout autre chose qu'une jungle ou un terrain vague ! Quel dommage que nous ne sachions rien des goûts (et des dégoûts) du Créateur en matière de jardinage, d'irrigation, d'horticulture ! Nous eussions été informés ainsi, puisqu'Il fut avant tout notre Grand Jardinier, de sa vision florale, arboricole et sylvicole de l'univers.

Dans les jardins d'Islam, le Jardinier a multiplié, avec les roses, les jasmins, les grenadiers, les hibiscus et les bougainvillées, les fontaines et les bassins pour leurs trois usages essentiels : se laver, se regarder et jouir des bruits de l'eau coulante. Ainsi tous les sens sont requis, tous les sens et tout leur symbole : se laver, c'est se purifier, se regarder c'est se connaître (ou se reconnaître), écouter l'écoulement de l'eau, c'est entrevoir ou percevoir celui du Temps. Sablier liquide, clepsydre des pensées et des prières, l'eau du bassin qu'Haci Bektas avait fait creuser à proximité du mûrier s'écoulait comme une source discrète récitant le bréviaire des heures. A l'ombre de cet arbre, Yunus aime écouter ces bruits qui sans cesse recommencent et sans cesse se renouvellent selon une progression savante : écoulement, ruissellement, roucoulement. Il épouve le sentiment d'être en un lieu paradisiaque mais qui serait ici l'œuvre de l'homme. Et il pense aussitôt, avec appréhension, que le sens et l'essence du paradis ne consistent pas à y demeurer ni à s'y endormir en une trompeuse félicité mais à savoir le quitter avant qu'on vous en chasse ! Ne pas recommencer la Chute, en quelque sorte ! Car le vrai paradis n'est ni derrière nous (comme voudraient nous le faire croire les traditions ésotériques et la plupart des religions) ni devant nous (comme voudraient aussi nous le faire croire les utopies de tous les siècles, marxistes ou non). Le paradis est en nous seuls et à l'inverse de l'autre, celui de tous les catéchismes, il s'agit justement non d'en sortir mais d'y entrer. L'enfer aussi est en nous-mêmes. De toute évidence, le Grand Horticulteur a mêlé en nos cœurs, quand il conçut ses fleurs édéniques, la rose et l'aconit, le jasmin et la belladone.

« Sais-tu ce que je vois en ce moment même dans tes yeux ? » demanda Haci Bektas à Yunus, ce matin-là au terme de leur contemplation réciproque. « Qu'approche déjà le moment où tu n'auras aucun besoin de moi. Alors tu devras t'en aller vers ta seconde épreuve. – Celle où... », commença Yunus. « Oui, celle où tu n'auras plus besoin de chercher Dieu car tu L'auras trouvé. – Et une fois que je L'aurai trouvé... » murmura Yunus avec appréhension. « Ce sera la troisième épreuve. Mais toi seul pourras décider alors ce que tu dois en faire. »

Le neveu d'Ogodeï, le fils de Tolui, Khubilaï, élu Grand Khan après la mort de son frère

Mongka, Khubilaï, vainqueur de la Chine, conquérant de l'Indochine et de la Birmanie qui sut étendre l'empire de Gengis Khan de la mer du Japon jusqu'à l'Anatolie, Khubilaï vient juste de mourir. Le nouveau Khan a nom Temün Oldjaïtu. Et le suivant aura pour nom Khaïchan et le suivant Ozbeg. Bien que vaincus et tributaires de l'ennemi, les sultans seldjoukides ont pu sauver leur vie et leurs villes, les Mongols se contentant d'y mettre un gouverneur. Et c'est pourquoi l'Anatolie, en cette parenthèse inespérée entre deux guerres, put à nouveau se couvrir de pieuses fondations, de tekkés, de médressés, de mosquées somptueusement décorées, de caravansérails, havres de délassement et de sécurité sur la route des caravanes et des pèlerinages, mille édifices érigés par les grands sultans seldjoukides aux noms rêches et ingrats : Ala al-din Kaï Kobad, par exemple, ou Kaï Kawous Ier, Kaï Khusrau II ou encore Kilitch Arslan IV. Lorsque la mort, le pillage, l'incendie, l'extermination campent à votre porte, que Dieu Lui-même faillit à préserver la vie de tous ceux qui L'implorent, égorgés en plein cœur des mosquées, des églises et des synagogues, qu'Il faillit même à protéger Ses Livres saints, ceux que Lui-même aurait dictés (quand, deux générations plus tôt, pendant la prise et le pillage de Boukhara, Gengis Khan arriva devant la grande mosquée, il y pénétra à cheval et fit remplir d'avoine

à l'intention de ses chevaux les coffres ouvragés
contenant le Coran et rien ne bougea sur la terre
ni dans les cieux, aucune étoile ne s'éteignit,
aucune source ne se tarit, nul séisme ne secoua
le sol), quand le ciel fait ainsi cruellement défaut,
que seuls règnent sur la terre le silence de Dieu
et Son indifférence, que reste-t-il d'autre à faire
que de se réfugier dans les mirages et les exor-
cismes de l'art, d'historier portails et façades, de
couvrir murs et coupoles de céramiques bleues
pour tenter d'embellir ce qui reste du monde?
Quand les prières sont inutiles, quand toutes les
supplications sont vouées au néant, quand nul
ne vous écoute ni ne perçoit vos cris, ni sur
terre ni au ciel, que faire d'autre que d'inventer
de nouveaux cieux, des cieux factices, certes,
mais parés de faïences et d'azur, des cieux
humains, ceux-là, mais au moins proches et présents, face à la désertion et à la cruauté du ciel
divin?

Le vol de la colombe

« Un oiseau s'est posé sur
le sommet de la montagne.
Puis, il s'est envolé.
Qu'est-ce que la mon-
tagne a perdu ?
Qu'est-ce que la mon-
tagne a gagné ? »

Mawlânâ

Visiblement, elle hésitait sur la route à suivre : devait-elle traverser le Khorassan, obliquer vers le nord, survoler les massifs de l'Elbourz et rejoindre l'Anatolie par l'Azerbaïdjan et l'Arménie ou se diriger en ligne droite vers les monts du Kurdistan pour atteindre bien au-delà les rivages de la mer Égée ?

Pour l'heure, posée en haut du minaret de la grande mosquée de Neyshapour, elle regardait sans grand enthousiasme l'horizon sec et nu de la steppe. Un appel, un murmure, peut-être même une injonction chuchotée par d'invisibles lèvres (il est difficile de décrire avec exactitude ce que peut percevoir une colombe quand Dieu murmure à son oreille) lui avait enjoint de se rendre sans attendre en Anatolie. Aussi dès l'apparition du soleil s'était-elle posée sur le minaret pour examiner l'horizon avant de s'élever dans l'azur en y traçant des cercles de plus en plus larges. C'est qu'elle avait à faire un long trajet dans un ciel dangereux où abondaient aigles voraces et milans rapaces. Bien sûr, elle sentait ou plutôt pressentait que le Ciel se devait de la protéger mais était-ce vraiment une mission que Dieu lui avait proposée ou une épreuve qu'Il lui imposait ? Voulait-Il vérifier sa docilité ou son courage en l'obligeant à entreprendre un tel voyage alors qu'elle ignorait tout des lois et des routes de l'air ? Les instructions reçues étaient des plus vagues : partir pour l'Anatolie, et c'est pourquoi elle s'élevait présentement dans le ciel, très lentement, indécise devant cet horizon décourageant. Heureusement, à l'instant même où elle allait, à tout hasard, se diriger vers le nord, la « voix » se fit entendre pour la détourner vers le sud, en direction du Kurdistan. Elle partit donc allégrement dans cette direction, survolant d'abord très longtemps des solitudes d'herbe rase, tapissées par endroits de chardons et de bouquets d'ajoncs. Elle n'entrevit aucun humain pendant ce vol sauf, un moment, un groupe de nomades mais nul ne lui prêta la moindre attention à part quelques molosses qui aboyèrent dans sa direction. Après quoi, elle dut traverser une immense dépression de terre craquelée de soif, un désert de sel bouillonnant de chaleur qui la mena jusqu'aux premiers villages du Kermanshahân où elle se posa, épuisée, sur le rebord d'une terrasse. Les noms des régions survolées (à supposer qu'elle pût les retenir et les prononcer) étaient eux-mêmes l'écho de ces paysages âpres et inhumains : Dasht-e Kavir, Daryacheh-ye Normak, Namak-Sar, Oshtoran Kuh, tout un chapelet de syllabes, et surtout de consonnes comme de rugueux récifs au cœur d'une mer d'algues sèches. Elle avait bien raison d'être désemparée. A peine repartie, elle survola un enfer de montagnes pelées, si intensément ravinées qu'elles n'étaient plus qu'une suite de crêts et croupes décharnés, sans la moindre verdure. Pour elle, colombe novice en l'art des longs parcours – et même en l'art d'être une simple colombe –, ces lieux étaient comme une malédiction faite paysage, une succession de reliefs devenus les fantômes d'eux-mêmes, les soubresauts figés d'une terre en agonie. Elle aurait bien voulu pouvoir fermer les yeux pour ne pas voir une telle désolation !

Décidément, cette soi-disant mission était bien une épreuve. Dieu voulait sûrement tester son endurance à la soif et à la fatigue mais aussi sa capacité de résister à la monotonie, de surmonter le découragement pour devenir, au terme du voyage, une colombe aguerrie à l'hostilité des climats, aux rudesses de la solitude et plus que cela sans doute : une colombe initiée aux épreuves qui l'attendaient là où Dieu l'avait envoyée.

Élue entre toutes les colombes pour cette expérience singulière et pour tout dire unique, elle éprouvait en elle joie et terreur, car cela même était en soi un événement que cette présence, au cœur d'un simple oiseau, d'un ordre ou d'un désir venu du Ciel. Elle avait tout à fait l'allure d'une vraie colombe du Khorassan avec son poitrail gris clair, son dos marron foncé, ses ailes fortement tachetées, son bout de queue gris-bleu (et non blanc comme chez ses congénères de l'ouest) et surtout sa ravissante collerette, d'un bleu veiné de noir dont elle se rengorgeait. Une vraie colombe, donc. Au point que tout le monde s'y trompait, à commencer par les prédateurs. Oui, une vraie colombe avec les goûts, les besoins, les désirs de toute colombidée et en même temps une aspiration à s'accomplir, à dépasser son état présent, sa condition d'oiseau pour connaître ce qui, de tout temps, fut toujours interdit aux colombes : les goûts, les besoins, les désirs des humains ! Qui jamais avait vu cela : une colombe rêver de ne plus l'être, d'accéder à une vie, à un état d'outre-colombe ?

Une vraie colombe. Elle en fit bien vite l'expérience, quand, quelque temps plus tard, ayant franchi les déserts de Mésopotamie, survolé la Syrie et les rivages de l'Égée, elle aperçut les monts d'Anatolie et les steppes du pays de Roum et le lointain village où elle devait se rendre. Elle sentit alors au-dessus d'elle, de cet instinct inné qu'ont les victimes, l'ombre immense d'un aigle. Elle s'abattit comme une pierre et vola en rasant le sol pour y trouver un abri mais le rapace l'avait rattrapée et se tenait déjà, serres dressées, devant elle. Elle était en train de se dire : Tant de fatigues, d'obstination pour finir dans les serres d'un aigle ! quand elle vit l'oiseau s'effondrer, le corps transpercé d'une flèche. Des hommes couraient plus bas, près du village et l'un d'eux brandissait un arc. Alors, avisant la cour d'une maison ombragée où un groupe d'hommes, assis à même le sol, bavardaient posément, elle vola lentement jusqu'à eux et vint se poser sur un rocher au milieu de la cour. Et tous les hommes présents furent saisis de stupeur – certains même de peur – en voyant les pattes de l'oiseau s'enfoncer dans la pierre comme si elle n'eût été qu'une grosse boule de laine !

Nul aujourd'hui, se trouvant en quelque jardin public et voyant une colombe se poser près de lui, ne se demanderait : Est-ce un oiseau ou est-ce un homme ? Argument valable pour toute autre espèce d'oiseau, quels qu'en soient la taille ou l'aspect. Encore qu'il me soit quelquefois arrivé en Bourgogne, en voyant des mésanges frapper avec obstination contre les vitres et me dévisager effrontément, de me demander si de fait elles n'étaient pas porteuses d'un message. C'est que de mésange à message, il n'y a à franchir que l'obstacle de deux simples lettres... D'ailleurs, comment réagir autrement – c'est-à-dire soupçonner quelquefois un oiseau de n'être qu'une métaphore ou une métamorphose – quand on fréquente assidûment la vie des grands soufis, fréquentation qui porte inéluctablement à se méfier des apparences. Car chez eux, chez ces maîtres soufis, l'accès au stade ultime de l'initiation se traduit très souvent par la faculté d'ubiquité ou de métamorphose. Dans ce monde des derviches, des pirs, des asiks, les colombes sont en général de vraies colombes, mais quelquefois aussi des maîtres momentanément métamorphosés en colombe, en huppe, en rossignol ou en grue cendrée, pour des raisons diverses mais dont il faut d'emblée exclure l'esprit de facétie. On ne se métamorphose pas en colombe par jeu ou par désœuvrement, par vanité ou par caprice. Il faut des raisons impérieuses liées à des nécessités d'ordre externe ou interne. Externe pour échapper, par exemple, à quelque danger imminent ou pour obéir à un ordre ou un désir venu du Ciel. Interne, il peut s'agir d'élargir le champ de la conscience en s'élevant, dans tous les sens du terme, au-dessus de la condition quotidienne. Mais il faut savoir et comprendre qu'un tel pouvoir ne peut d'aucune façon être un but par lui-même. Il n'est qu'une conséquence, parmi d'autres, de l'accès à un état supérieur de l'être qui, dépassant les contraintes et les limitations propres à l'homme, peut alors s'incarner en toute forme vivante. La preuve en est que la plupart de ceux – au demeurant fort rares – qui possédèrent ce pouvoir n'en tirèrent aucune vanité et n'en rapportèrent aucun enseignement communicable, de nature à nous éclairer souverainement sur la vie et la psychologie des colombes, des rossignols ou des gazelles, par exemple. C'est fort dommage car nous eussions disposé ainsi de témoignages irréfutables sur les mœurs de ces animaux. Haci Bektas ne parla jamais des joies sublimes et sublimées qu'il dut connaître quand il était colombe. Car c'est lui qui, selon la légende répandue plus tard par ses disciples, vint ainsi du lointain Khorassan jusqu'au hameau de Suluca Karahüyük où il reprit sa forme humaine et fonda aussitôt la confrérie des bektasis. On dit aussi qu'instruits de son imminente arrivée, certains soufis, jaloux de ses pouvoirs et de son influence et craignant pour leur propre réputation, se transformèrent en huppes et se portèrent à sa rencontre, ailes contre ailes, pour l'empêcher de pénétrer dans le pays de Roum. En les voyant, Haci Bektas aurait bondi jusqu'au plafond de l'univers (où les anges le reconnurent et le saluèrent au passage) et passé outre à ce barrage dérisoire. Je dis bien « aurait » car de ce bond céleste, jamais, une fois revenu sur Terre, Haci Bektas ne dit le moindre mot.

C'est donc ainsi qu'il s'établit dans ce hameau et qu'il y devint ce qu'on appelle un maître, un mawlânâ, un pir, installé désormais à demeure en son corps d'humain. Mais c'est peut-être en souvenir de ce vol mémorable qu'il ne cessera de vivre, dans le tekké qu'il fondera, au milieu des colombes dont il peuplera le couvent. Cet oiseau était alors pour tous le symbole de l'innocence. Quand, au terme de ses années d'ascèse, Haci Bektas avait senti son corps prêt aux métamorphoses, il choisit de se muer en colombe plutôt qu'en rossignol (oiseau séduisant mais futile) ou en huppe (oiseau de belle prestance mais terriblement vaniteux). Sans parler du faucon qui avait les faveurs de certains soufis portés sans doute vers les métamorphoses spectaculaires et les déguisements guerriers. Quoi de plus révélateur, en effet, de la personnalité profonde et secrète d'un être (et aussi de son parcours initiatique) que son choix en matière de métamorphose ? Prendre l'apparence d'une gazelle ou d'un tigre, d'une colombe ou d'un faucon, est plus que l'aveu d'un caprice ou même d'un inassouvissement, c'est exprimer, c'est exhiber d'une façon particulièrement spectaculaire sa blancheur ou sa noirceur intime, et la nostalgie de ses incarnations manquées. En ce temps-là, demander à un maître soufi quel animal avait sa préférence n'était pas sans danger ni conséquences redoutables car loin de répondre par un simple mot comme nous le ferions, nous les non-initiés, il pouvait prendre sous nos yeux l'apparence de l'animal ! Option cruciale, donc. Choisir d'être colombe, c'est choisir la voie de l'innocence, c'est devenir oiseau de paix. Choisir d'être faucon, c'est choisir la voie de la voracité, c'est devenir oiseau de proie.

De tout temps, Haci Bektas s'était senti oiseau de paix et cette sereine métamorphose, Yunus l'avait ressentie dès son arrivée au tekké. Loin d'être agitée et bruyante comme celle qui régnait chez Mawlânâ, il y avait ici une atmosphère de recueillement et de roucoulement qui disait bien, murmurait bien, roucoulait bien ce qu'était devenu ce tekké : un vrai colombier d'hommes.

Derviche : membre d'une confrérie mystique musulmane, vous diront tous les dictionnaires. Autrement dit, membre de ces communautés multiples, fluctuantes et parfois clandestines qui se répandirent à partir du XIᵉ siècle de l'Asie centrale à la mer Égée et dont certaines, les mevlévis et alévis notamment – et parmi ces dernières, les bektasis –, existent encore aujourd'hui.

Comment imaginer Yunus parmi elles, Yunus et les derviches de son temps, non pas ceux qui vivaient à demeure au sein des confréries, mais les autres, les vagabonds, les mendiants, les errants qui allaient de tekké en tekké, vivant d'aumônes et de provendes humaines, dormant ici et là à la belle ou la mauvaise étoile ou au hasard des zâwiya, ces pieuses fondations réparties le long des chemins et au cœur des villes et qui donnaient asile aux pèlerins et aux errants ? Errer, en ces pays et en ces époques, n'était pas se retrouver seul sans foyer, chassé ou exilé – devenir un exclu, dirait-on aujourd'hui. Au contraire, en renonçant à la vie sédentaire et surtout à la vie communautaire, qu'elle soit celle d'une famille ou celle d'une confrérie, le derviche errant, et à plus forte raison l'asik, ce ménestrel de l'Orient, ce troubadour qui chantait non l'amour de la princesse lointaine mais celui de l'Aimé tout proche, non une étoile fût-elle unique mais le ciel tout entier, non l'éclat ou l'éclair d'un seul être mais la foudre du monde, cet errant, cet asik retrouvait une autre société, dispersée mais fraternelle, celle des tekkés, des zâwiya, des mille réseaux prévus pour abriter, ne fût-ce qu'un soir, ceux qui avaient fait vœu d'errance et dont l'un d'eux disait qu'« il n'était jamais seul sur les chemins puisqu'il voyait Dieu en tout horizon comme l'amoureux du vin voit déjà le vin dans la grappe ». Les Anatoliens, qu'ils soient paysans ou notables, ruraux ou citadins, vivaient alors dans une telle insécurité indivi-duelle et collective, de la menace mongole aux querelles des sultans, sans compter les famines et les épidémies, qu'être errant n'était pas ressenti comme un comportement étrange et encore moins menaçant. Cela paraissait aussi naturel qu'être nomade, par exemple. L'errant avait sa place, comme le sédentaire, et même sa nécessité.

Simplement, il avait choisi, lui, d'être sans toit et misérable, il avait choisi d'être, si je puis dire, un errant à demeure et beaucoup de ces démunis, de ces pèlerins perpétuels étaient reçus comme des porteurs d'enseignement. Car tels étaient alors la force et le prestige de la Voie et de la parole errantes.

Ainsi parcouraient-ils déserts, steppes et mon-tagnes. Vêtus d'une simple bure en laine, coiffés le plus souvent d'un turban défraîchi avec pour tout bagage une sébile, parfois un tapis de prière et un chapelet de cent grains pour la récitation des quatre-vingt-dix-neuf noms de Dieu, ils allaient par les chemins d'Anatolie. Certains avaient aussi un saz, cet instrument qui aujourd'hui encore est celui des modernes asiks, pour improviser des néfés, chants basés sur la répétition métrique de certaines syllabes.

Il arrivait aussi que quelques-uns poussent jusqu'à leurs conséquences ultimes leurs choix de derviches errants. Jusqu'à refuser, par exemple, cette considération qui quelquefois les entourait et où ils voyaient un obstacle à leur avancée sur la Voie. D'où des comportements manifestement aberrants, du moins en apparence, mais justifiés à leurs yeux par leur avancement dans la voie spirituelle. On les désignait alors par le terme de Malâmati qui signifie : les gens du Blâme. Il s'agissait non seulement de refuser toute notoriété et de se dérober à tout éloge, mais de rechercher au besoin l'impopularité en transgressant ouvertement des interdits majeurs comme de boire du vin, par exemple. La plupart ne pratiquaient aucune forme extérieure de culte, ni prière ni pèlerinage, mais priaient ou jeûnaient seuls et en cachette, leur but étant de dissimuler leurs vertus en même temps que d'exhiber leurs défauts simulés.

Évidemment, cette ostentation négative, ce souci, voire cette obsession d'attirer sur eux le blâme et la réprobation impliquaient une vie de perpétuelles simulations où, à la longue, il devenait ardu de distinguer le vrai du faux, l'acte spontané de l'acte simulé ou l'inverse. Ceux qui fréquentaient les tavernes, par exemple, buvaient-ils vraiment du vin ou faisaient-ils semblant ? Le principe du Blâme impliquerait qu'ils fissent semblant car leur but n'était pas évidemment de s'enivrer mais de donner à croire qu'ils s'enivraient. Il faut, alors, devenir un acteur chevronné pour passer son temps dans une taverne en habit de derviche à vider des verres vides et à partir ensuite en titubant ! On voit là où le bât blesse ou du moins où le blâme vacille : ces comportements n'ont de sens que s'ils sont accomplis devant les autres. Le candidat au blâme vit dans le permanent souci d'être vu, réprimandé et méprisé. Car si l'on supprime le témoin, tous ces actes perdent leur sens. Le vrai blâme au fond serait que ces hommes deviennent vraiment blâmables à leurs propres yeux — et non à ceux d'occasionnels témoins — et que dans un élan de franche transgression, confondant délibérément réalité et simulacre, sincérité et simulation, ils sortent de la taverne en titubant vraiment parce que, cette fois, ils ont vraiment bu du vrai vin !

Les arbres qui s'inclinent

« Notre seule religion, c'est l'Homme. »

Devise alévi

Le mûrier. Celui dans les branches duquel frissonne l'âme d'Haci Bektas. Celui qui est si réceptif aux vœux des femmes. Sous son ombre toujours attentive, Yunus écoute les bruits du tekké et le roucoulement des colombes. Pourquoi les oiseaux chantent-ils et pourquoi les colombes roucoulent-elles sans cesse ? Par besoin, par plaisir, par jeu ou par ennui ? Ces roucoulements n'ont-ils de sens que pour les colombes elles-mêmes ou s'adressent-ils aussi à nous ? Mystère de tous ces murmures, de toutes ces musiques où l'on ne perçoit le plus souvent qu'une profane polyphonie, des sons parmi d'autres sons. Depuis le fameux matin où Yunus comprit soudain le langage secret des norias, il sent que son oreille s'est ouverte aux mystères sonores de ce monde. Et qu'il possède enfin ce que tous les derviches recherchent avec passion, sans toujours l'obtenir, à savoir l'ouïe spirituelle. Qu'est-ce que l'ouïe spirituelle ? C'est déceler derrière les bruits quotidiens et anodins du monde – le murmure d'un ruisseau, le chant d'un oiseau, le bruit du vent dans les feuillages – le message ou le chant divin qui s'y cache. Non un autre langage qui s'ajouterait au premier pour le masquer ou l'abolir mais ces bruits, ces sons, ces murmures rendus soudain intelligibles. Ainsi, un homme qui se promène dans la campagne n'entendra pas du tout les mêmes sons selon qu'il possède ou non l'ouïe spirituelle :

> « *Se promenant sur un chemin le long d'une rivière, l'homme s'aperçut que le murmure de l'eau accompagnait mélodiquement ses pas. L'instant d'après un coup de vent agita le feuillage des arbres. Dans l'un d'eux un oiseau se mit à chanter tandis qu'un peu plus loin, au bord de la rivière, des roseaux ployaient sous le souffle violent du vent.* »

Ceci pour un promeneur nanti d'une ouïe normale ou naturelle. Mais qu'entend l'élu ou l'initié qui possède l'ouïe spirituelle ?

> « *Se promenant sur un chemin le long d'une rivière, l'élu l'entendit murmurer : On m'a faite Rosée du Seigneur pour désaltérer l'Assoiffé... L'instant d'après, les feuilles des arbres applaudirent frénétiquement le nom de Dieu tandis qu'un oiseau se mit à chanter : Vers Toi, je vole, pour Toi je chante, et qu'un peu plus loin au bord de la rivière, ployés d'amour devant le Créateur, des roseaux s'inclinaient jusqu'à terre.* »

Ouïe des plus fines, donc, et des plus exercées et qui ne se borne pas nécessairement au décryptage mystique des seuls bruits naturels puisque Kitab al-Tawâsir, un grand maître soufi, affirme que tout élu peut percevoir le message des anges non seulement dans les bruits de la nature mais même... dans le grincement des portes !

Voilà un excellent exercice à recommander aux sceptiques pour développer en eux l'ouïe spirituelle : faire grincer les portes de leur maison jusqu'à ce qu'ils y perçoivent le langage secret des anges !

De fait, aucun bruit du monde ne peut être neutre. Du ruisseau aux houles de l'océan, de la brise aux tempêtes, de l'insecte à l'oiseau, toute la création et toutes les créatures disent quelque chose à ceux qui savent les écouter. Même les atomes lorsqu'ils dansent, les vagues quand elles se brisent et les norias quand elles gémissent. D'ailleurs pourquoi un ruisseau ferait-il du bruit si ce bruit ne servait à rien ? Car le bruit d'un ruisseau peut être murmure ou colère, plainte ou emportement selon l'oreille qui l'écoute. Est-ce Dieu qui le voulut ainsi ou l'homme qui instille malgré lui en ces bruits ses propres états intérieurs, qui voit de la colère dans ce qui n'est que tourbillon d'écume, de la sérénité ou de la lassitude dans ce qui n'est qu'épanchement d'une eau étale ?

Choix crucial, n'en doutons pas. Entre le naturel et le surnaturel. Seule l'ouïe spirituelle peut nous livrer la clé de ces mystères, nous permettre de surprendre les plaintes des norias et des flûtes se lamentant sur l'exil et l'absence ou les hymnes, les cantiques à l'Aimé qu'interprètent dans la ferveur de l'aube ou la fraîcheur du soir les insectes et les oiseaux, chacun bien sûr selon son mode naturel : stridulations pour les criquets, trilles pour les rossignols, chant *gracioso* pour les ruisseaux et *pianissimo* pour les rus, *agitato* pour les torrents et *vivace* pour les cascades. Quant aux feuilles des arbres, si Dieu leur a donné la forme de mains, c'est bien pour qu'elles puissent applaudir Son nom dans l'alléluia des feuillages ou l'hosanna des frondaisons !

Yunus est seul sous le mûrier en ce début d'après-midi. Heures toujours lentes, difficiles, comme engluées dans la torpeur de l'air après l'immobile incendie de midi. Liquéfiée sous l'épanchement du soleil, la cour du tekké éblouit comme une mer de sel. Le mûrier semble se tasser dans l'atrophie du temps et les chiffons blancs marquant les vœux des femmes et accrochés aux branches pendent rigides et empesés. La fontaine elle-même a cessé tout babil : l'eau vivante ne parle plus, ne distille plus goutte à goutte les noms secrets de Dieu.

Allah, Yaweh, Zeus, Dyaus, Brahma, Wotan. De tous ces noms, c'est celui d'Allah, bien sûr, que Yunus croit entendre dans l'écoulement des eaux, le frissonnement des branches ou le roucoulement des colombes. Mais quand un peu plus tard il question-nera sur ce sujet Haci Bektas, celui-ci lui fera une réponse imprévue :

« Les arbres et les oiseaux, dira-t-il, ne peuvent

que répéter ce que Dieu leur fait dire. Ils sont les instruments de Sa volonté. Mais l'homme, lui, n'est pas l'instrument, il est l'image de Dieu. Il est libre d'accepter ou de refuser Sa parole et d'inventer pour Le nommer tous les noms qui lui plaisent. Qu'importe le nom sous lequel tu L'invoques ! Appelle-Le Aigle ou Colombe, nomme-Le Source ou Cime, Lion ou Gazelle, Ami, Aimé, Amant, nomme-Le même Abîme ou Néant ! Tous ces noms Lui conviennent et des milliers d'autres aussi. Mais sache que pour nous autres, bektasis, Dieu justement n'a pas de nom ! »

Ainsi chaque jour Yunus apprend à se défaire d'une illusion, à se débarrasser d'une croyance inutile. A ne plus croire que Dieu porte un nom, par exemple, ou qu'Il n'en a qu'un seul. A admettre que tous ces noms, c'est l'homme seul qui les Lui donna en sa propre intention et pour son propre usage. Dieu n'a jamais révélé Son nom et Sa voix est celle de tout ce qui bruit, murmure en cette terre. Il n'a pas une voix, Il en a cent, Il en a mille ! On pourrait alors le nommer le Bruissant, le Grinçant, le Grésillant, le Vrombissant, le Susurrant, le Chuchotant, le Gazouillant, le Pépiant, le Grisollant, le Tirelirant, le Courcanant, le Nasillant, le Ululant, le Chuintant, le Craquetant, le Croassant, le Roucoulant, le Glougloutant et le Zinzinaillant, le Trissant et le Pupulant, le Cacardant, le Cacabant, le Gloussant, le Ramageant, le Bourdonnant, le Stridulant. Parmi d'autres, bien sûr.

En fait, le seul nom que Yunus aimerait lui donner serait celui de Ménestrel de l'Immense. Un Dieu poète et musicien. Un Dieu asik, en somme.

Oui, il est venu du Khorassan, le maître, le pir Haci Bektas, il est venu du Khorassan où il vécut longtemps, dit-on, auprès du maître Ahmed Yésévi. De longues années, il demeura à ses côtés en l'aidant notamment à combattre les idolâtres des terres voisines. A certains moments, et sur les conseils de son maître, il allait se retirer dans une grotte pour y jeûner et se livrer à des ascèses si sévères, à des macérations si insensées que « lorsqu'il se prosternait à terre, on entendait son cerveau remuer à l'intérieur de sa tête » !

Après quoi, il regagnait le tekké de son maître et y reprenait ses prières. Ils étaient quarante, dit-on, dans ce tekké, quarante, chiffre saint de l'Islam. Quarante qui d'après la légende avaient trouvé la vérité et vivaient si près l'un de l'autre qu'ils ne faisaient plus qu'un. « Ce qu'est chacun de nous, disait le maître, tous les autres le sont aussi. Nous sommes quarante et nous sommes un. » La preuve ? Un jour, le Prophète en personne eut le désir de rencontrer ces ascètes si réputés. Il descendit sur terre et vint frapper à la porte de leur tekké. « Qui es-tu ? lui demanda-t-on. – Je suis le Prophète. » On lui ferma alors la porte au nez. « Ce lieu est bien trop modeste pour y recevoir le Prophète en personne », lui répondit-on. Alors celui-ci, après avoir bien réfléchi, revint frapper à la même porte. « Qui es-tu ? – Je suis le serviteur des pauvres. » La porte s'ouvrit aussitôt. Le Prophète entra, s'assit au milieu des derviches et leur demanda : « Qui êtes-vous ? – Nous sommes les Quarante. Ce qu'est chacun de nous, tous les autres le sont aussi. – Mais comment est-ce possible ? » questionna le Prophète. Alors, un des derviches prit un couteau et, relevant sa manche, s'entailla profondément l'avant-bras. Et les bras des autres derviches saignèrent exactement et aussitôt au même endroit.

Ne nous étonnons pas de ces légendes. Elles sont là non pour surprendre ou sidérer mais pour imager fortement le sens de cette vie communautaire : devenir un en étant tous ; demeurer tous en étant un.

Pour entrer dans la confrérie d'Haci Bektas et franchir les quarante degrés de son initiation, on devait procéder à quelques rites très simples : baiser une selle de cheval qui rappelait l'origine nomade et cavalière des ancêtres, revêtir une ceinture particulière, reproduction de celle du Prophète, boire en commun du vin dans une coupe unique et chanter des hymnes particuliers. Peu de rituels en somme car l'essentiel était ailleurs, dans l'atmosphère et l'enseignement quotidiens de ce tekké perdu au cœur de l'Anatolie. Haci Bektas était un homme réservé, discret, qui n'aimait pas l'exhibitionnisme. On dit qu'étant allé un jour rendre visite à Konya à Mawlânâ, sur l'invitation de ce dernier, il y séjourna quelque temps.

Le jour de son départ, comme Mawlânâ l'interrogeait sur ses impressions concernant le samâ, il lui répondit : « Pourquoi te conduis-tu ainsi ? Que cherches-tu au juste ? Si tu as trouvé ce que tu cherchais, tu as atteint ton but. Pourquoi ne pas te reposer dans le silence ? Si tu ne l'as pas trouvé, crois-tu que tu le trouveras en faisant tout ce tapage et en t'exhibant ainsi en public ? »

Pour Haci Bektas, l'essentiel n'était pas dans les rites, la musique ou la danse, dans les formes extérieures et extatiques de culte, mais dans la pureté intérieure et la sincérité du cœur. La « recette » de son enseignement était à la fois simple et difficile à mettre véritablement en pratique : « Dis toujours ce que tu penses et fais toujours ce que tu dis. » Voilà, bien sûr, de quoi faire table rase de tous les mensonges, dissimulations, hypocrisies, de tous les obstacles et les ombres qui constituent l'essentiel des rapports entre les humains. Dans ce domaine, sa conviction était totale. « Inutile de vous rendre à La Mecque, disait-il, ou même d'aller prier à la mosquée, si votre cœur demeure impur. Si une cruche est sale à l'intérieur et que vous la fermiez soigneusement avec un couvercle, vous pourrez la laver mille fois par jour pendant dix ans, elle sera toujours sale en dedans. Le couvercle, ce sont vos mensonges, vos lâchetés et vos hypocrisies. Et aucune eau ne peut laver les impuretés du dedans. Toute prière est vaine quand un cœur est impur. Purifiez-vous d'abord avant de prier Dieu car tôt ou tard vous serez confrontés à vos actes et à vos souillures. »

Mûrier, roses et colombes. Jardin, fontaine et mausolée. Le tekké d'Haci Bektas donne le sentiment d'un univers en réduction. Dans la salle où se déroulaient prières et cérémonies rôdent encore le parfum du cuir – fragrance du berceau khorassien –, celui des fleurs et – l'ai-je imaginé? – celui des femmes qui étaient acceptées dans cette confrérie à l'égal des hommes, chose unique en pays d'Islam. Deux grands arcs ouvragés d'arabesques divisent la pièce en une aire de musique et, peut-être, de danse, et l'endroit où se tenaient, assis, les derviches et les auditeurs. Ordre. Lumière. Sérénité. Blancheur du Temps arrêté en son tournoiement. Dénuement du lieu. Aucun esprit sectaire ne put se déployer ici où régna un dieu sans atours ni ostentation, n'ayant d'autre vêture que la bure des étoiles, d'autre langage que les mélodies de ce monde. Sur les deux côtés de la cour principale se succèdent les cellules où méditaient les derviches après les séances communes. Venir en ce tekké pour y rester des heures, y écouter les bruits familiers de l'eau, du vent, des visiteurs. Y réfléchir et se sentir devenir transparent à soi-même.

Mûrier, roses et colombes. Il y a toujours en nous un vœu qui sommeille ou somnole. C'est ici qu'il faut le formuler, le faire naître sur les lèvres. Formuler un vœu est chose difficile, je le reconnais, et beaucoup, qui n'y prirent pas garde, s'y brûlèrent ou s'y desséchèrent. Surtout quand on ne peut en formuler qu'un seul. Si quelque fée, quelque génie ou quelque apparition vous demande de formuler un vœu, quel qu'il soit, ne faites pas comme tant d'autres, naïfs, niais ou étourdis, qui demandèrent l'immortalité sans demander en même temps l'éternelle jeunesse. Ils vieillirent indéfiniment au point de n'être plus, au bout de quelques siècles, qu'une larve desséchée, une pupe fossile, une chrysalide sans futur, une momie vivante.

Sur l'un des murs de la salle de cérémonie, un grand portrait d'Haci Bektas. Il est assis, jambes croisées en position de méditant avec sur la tête la toque blanche des maîtres soufis et un lion blotti entre ses jambes. Ce lion, c'est Ali, le gendre du Prophète, surnommé le Lion d'Allah. Haci Bektas était un alévi, un partisan d'Ali, ce qui dans son cas veut dire avant tout : croyant tolérant, maître généreux, respectueux de toutes les autres religions.

Bien sûr, il ne connut jamais Ahmed Yésévi qui vécut deux siècles avant lui mais la légende les a réunis dans une même famille de maîtres miraculeux. Car si Haci Bektas pour venir du Khorassan choisit d'être colombe, Yésévi, lui, prenait apparemment plaisir à se présenter à ses

disciples sous forme de grue cendrée. Les soufis
aiment les histoires d'oiseaux et d'hommes ailés.
Les histoires de métamorphoses. Peut-être
parce qu'elles aident à s'approcher des anges.
Aucun miracle, si surprenant soit-il, n'étonnait
alors les derviches ni les disciples. Ni les pouvoirs invraisemblables, voire insensés, qu'on
prêtait à certains soufis. Celui-ci par exemple :

Un jour, Ahmed Yésévi partit se promener aux
alentours du tekké avec l'un de ses disciples.
Quelque temps plus tard, on le vit rentrer seul.
« Où est ton disciple ? » demandèrent les derviches. « Il est mort », répondit Yésévi et,
voyant le visage sidéré et consterné des autres, il
ajouta : « Il est mort de saisissement au cours de
la promenade en voyant les arbres s'incliner
devant moi. »

Le festin nomade

« Celui qui fit ce talisman qu'est l'homme
Celui qui sait parler tou-tes les langues
Celui que ciel ni terre ne peuvent contenir
Est contenu tout entier dans mon âme. »

Yunus Emré

Visages. Visages de femmes allaitant ou sommeillant déjà. Mains agençant savamment les caresses de la mémoire. Mains-mères qui pressent ou qui effleurent. Yeux qui parfois clignotent, parfois se ferment de fatigue ou de contentement.

Visages, mains, yeux, caresses des femmes nomades. Yunus les regarde, les détaille comme les figures d'un monde qui lui semble à la fois familier mais aussi étranger. D'où viennent ces gens rencontrés ce soir sur la steppe, ces gens qui d'eux-mêmes lui firent signe de se joindre à eux et de venir dormir sous leur tente ? D'où viennent ces visages que Yunus a l'impression de reconnaître mais dont il devine qu'ils viennent de très loin ? Leur langue elle-même n'est pas celle des habituels nomades que Yunus a souvent croisés dans ces lieux, elle a des inflexions, des raucités inconnues et leurs habits, les turbans des hommes, les bijoux des femmes, désignent les habitants d'un pays autre. Certains de ces visages fascinent Yunus par la transparence qui en émane, des visages ouverts et diaphanes, comme une décalcomanie de l'âme. Les femmes elles-mêmes ont une présence et une autorité inhabituelles chez les nomades. Leurs regards, leurs sourires, leurs rires leur appartiennent. Et leur silence aussi. Et leurs gestes qui n'ont rien de machinal ou de soumis. Des gestes souverains. Quant aux hommes, Yunus essaie de comprendre d'où ils peuvent venir. Mais là, les signes se mêlent et se contredisent. Cet homme, assis juste à côté de lui, qui semble être le responsable de cette famille ou de ce groupe, porte le turban blanc typiquement turkmène mais recouvert – ce que jamais il n'avait vu encore – d'une sorte de longue écharpe pourpre ornée d'une multitude de losanges ayant au centre une étoile d'or. Sa barbe est si finement taillée qu'on pourrait en compter les poils un à un et ses oreilles portent des boucles, oui, des boucles en verre apparemment banales mais qui lui confèrent un air de cheikh ou de pir, un air de maître shaman. Peut-être est-ce un de ces hommes des extrémités de l'Asie qui, le temps d'une extase, visitent le monde invisible et en rapportent des poussières d'astres ? A sa droite, son compagnon est plus étrange encore. Il ne porte pas un turban mais une toque de derviche mevlévi à cela près qu'au lieu d'être blanche, elle est d'un bleu agressif et entourée d'un long turban turquoise dont les extrémités lui retombent sur les épaules ! Coiffure de dignitaire ou simple accoutrement ? Serait-il un partisan du Blâme, de ces gens qui se promènent parfois dans des tenues invraisemblables en brandissant des étendards bariolés et en simulant la folie, pour mieux encourir le mépris des foules? Le troisième, lui, est coiffé d'une courte toque multicolore terminée par une énorme queue de cheval cerclée de boucles d'argent où se reflètent les flammes de la veilleuse. Quant au quatrième, qui se tient à l'écart des autres, il est vêtu plus sobrement d'une bure marron mais porte autour du cou un incroyable assortiment de colliers de pierres et de coquillages et de chapelets multicolores.

Enfants et femmes se sont endormis à même les couvertures. Les hommes regardent la veilleuse en silence. A quoi pensent-ils? L'un d'eux égrène un chapelet. Un autre murmure une sorte de litanie et la tente, avec les ombres et les lumières faséyantes de la flamme, est un ventre tiède, une matrice odorante abritant ces pasteurs, derviches, asiks ou shamans, ces passagers d'un autre monde venus faire halte ici pour une nuit. Le ciel d'ailleurs semble tout près : il apparaît par l'ouverture du sommet de la tente, destinée à en évacuer la fumée et que les nomades appellent joliment la « fenêtre du monde ». Il est là-haut, juste au-dessus du gros pilier central, couturé d'encoches jusqu'à son sommet, marques d'anciennes initiations ou marches permettant au shaman d'accéder dans les hauteurs de l'autre monde.

Dans quel espace s'est posée cette tente? Est-elle vraiment sur la Terre, sur ce coin perdu de steppe anatolienne, ou flotte-t-elle entre terre et ciel, parmi les effluves de laine chaude, de lait suri, de piment et de poivre écrasés en plein soleil d'été, ces odeurs nomades mille fois respirées par Yunus mais devenues ici les signes reconnaissables d'un monde hors du temps ? Tente nomade en somme qui tout à l'heure repartira peut-être vers quelque autre ailleurs ou tente sédentaire, ancrée sur une terre humaine, abritant des sommeils et des rêves d'humains ?

Depuis qu'il a été convié à retrouver ces nomades dans leur tente, Yunus a l'impression d'être entré dans un espace et dans un temps chargés de propriétés singulières. Tout est réel, indiscutablement, à commencer par les chevaux qui hennissent au-dehors et dont Yunus perçoit clairement le bruit des mâchoires broutant l'herbe. Réels aussi les objets qui l'entourent, les selles, les mors, les feutres, réels aussi ces femmes qui lui sourient et ces hommes aux allures de derviches. Tout est réel et pourtant tout paraît exister autrement comme si ce monde pastoral avec ses objets, ses animaux, ses habitants si proches n'était que le reflet d'un autre, entrevu à travers un miroir invisible brouillant légèrement leur présence et leurs traits. Comme si tout cet ici avec son ciel, sa terre, sa tente, sa veilleuse, ses habitants endormis ou songeurs n'était qu'un ailleurs déguisé ou subtil, ou – qui sait ? – un accident du temps mélangeant passé et présent. A moins – idée tout à fait insensée – que Yunus n'ait franchi à son insu la frontière de l'autre monde et ne se retrouve ici au milieu non de nomades à l'apparence fantomatique mais de vrais fantômes de cet autre monde ? L'autre monde ? Il se sent pourtant bien réel, bien vivant, installé à l'aise dans son corps. Comment aurait-il pu sans même s'en rendre compte passer dans l'autre monde ? Yunus commence à regarder ce qui l'entoure avec appréhension comme s'il lui fallait faire soudain l'inventaire des compagnons et des objets de sa future éternité ! Mais il ne voit rien que de très banal et même de très prosaïque : accroché au pilier en bois un arc rongé par les termites (mais peut-être dans l'au-delà chasse-t-on avec des arcs vermoulus), un saz dont deux cordes pendent lamentablement (joue-t-on du saz sans cordes dans l'au-delà ?), une flûte et un tambour. Il aperçoit aussi plus loin un grand étendard où se voit, sur la bannière en partie déroulée, l'empreinte d'une grande main d'or. Quel étrange attirail ! Mais est-il destiné à attirer quoi que ce soit ? Ou à attester simplement la puissance passée de ces hommes, dont ils garderaient les symboles effrités comme le dérisoire musée de leur luxe d'antan ? A moins qu'au contraire il ne serve à repousser, exorciser les esprits mauvais de la steppe, bouclier protégeant des ombres et des fantômes ?

Les hommes viennent de se relever. Ils disposent des tapis de feutre à même le sol et indiquent à Yunus la place où il peut s'étendre. Puis ils soufflent l'ultime lumière de la veilleuse. Mais à l'instant précis où la flamme s'est éteinte, une odeur très parti-

culière s'est alors répandue dans la tente. Une odeur
que Yunus reconnaît d'emblée pour l'avoir une fois
respirée. Une odeur qui est comme un signe, un
appel ou plutôt un rappel. Et devant cette odeur
Yunus sait maintenant, avec certitude, d'où viennent
ces hommes inconnus et quel est leur pays véritable.
Et il comprend pourquoi il leur trouvait un air à la
fois étrange et familier. Ces hommes, ces femmes
viennent d'un pays dont le seul nom exalte Yunus
comme s'il était celui de sa patrie intime : l'Immense.
C'est cela que Yunus avait perçu d'emblée sur le
visage de ces gens et dans la transparence de leurs
yeux : ils étaient venus jusqu'à lui depuis les lointains territoires de l'Immense.

Territoires de l'Immense. Qui ne commencent
nulle part et ne finissent nulle part. Qui sont et vont
bien au-delà de l'horizon nain de la steppe, au-delà
de ces vallées, gorges, plaines ou déserts d'Anatolie
où Yunus a l'impression d'avoir erré comme au cœur
d'une prison et parfois d'une serre de vent et de
poussière. Bien au-delà de tout cela, bien au-delà
des terres mongoles elles-mêmes qui jouxtent pourtant, dit-on, les extrémités de la Terre. Un au-delà
de la Mongolie ? Est-ce vraiment possible ? Elle
recouvre tant de pays, de peuples, de chemins, elle
associe tant d'horizons à la mer, aux déserts, aux
montagnes et au ciel pour qu'à eux tous ils
encerclent le monde ! Mais l'Immense surpasse tout
cela. L'Immense ne peut avoir d'autre nom que

l'Immense et nul empire ne peut se l'approprier pour lui seul. D'autant que son immensité englobe aussi le Temps, tous les temps, passés, présents et à venir. Montagnes ravagées, ravinées par les eaux, méandres harassés des oueds errant parmi les souffles du désert, pentes arasées par l'impatience et par l'acharnement des vents, gorges et ravins aux touffes parcimonieuses d'ajoncs et de chardons, et surtout pistes, routes, réseaux de toute sorte, voies infimes ou grandioses, tout cela fait partie de l'Immense. L'Immense est sans patrie, ni mongole, ni ouïgour, ni seldjoukide. L'Immense est l'océan lui-même devenu terre, l'Ailleurs sans fin dont seuls reconnaissent l'odeur ceux qui ont su et pu se dépouiller d'eux-mêmes, se dévêtir de leur vêture opaque pour vivre la vie transfuge. Et cette odeur n'est nullement celle de la steppe, ni celle de la poussière, de l'herbe desséchée, de la sueur de chameau ou de l'urine d'âne, ni celle du cuir et du cumin chauffés par le soleil ni celle du lait frais de la traite faite à l'aube ni celle du suint rance du mouton ni celle de l'ayran à l'aigreur si douce, ni celle des bouffées tièdes des buissons à midi, ni celle des mors usés par la salive des chevaux, ni celle non plus de la femme en gésine, cette odeur de sueur acide, de sang et de sanie qui efface toutes les autres odeurs de la steppe, plus forte même que celle du narcisse des rochers ou d'un marécage asséché dont on remue la boue, mais tout cela en même temps avec en plus, unique, l'odeur du Temps, celle des heures, des jours, des saisons couvées sous la cendre des feux nomades, comme l'essence effeuillée de tous les horizons. C'est bien cette odeur-là que Yunus avait respirée devant la porte close du tekké, à l'instant même où elle s'ouvrit. Et c'est bien celle-là qu'il respire à nouveau cette nuit, dans le feutre infini des songes.

Le miracle n'advint qu'au réveil. Et la solution du mystère. Les femmes venaient juste de se réveiller et s'affairaient auprès des enfants. Les hommes étaient déjà dehors. Yunus se leva, poussa le battant de feutre et sortit. Splendeur de l'aube anatolienne où la poussière se fond avec les senteurs nocturnes, où la rosée humecte encore les chardons, laissant sur chaque feuille le sillage irisé de milliers d'escargots célestes.

Alors le miracle advint. Les hommes venaient de s'asseoir en rond autour d'un kilim étalé sur le sol et commencèrent une sorte de prière. Yunus, n'y étant pas convié, demeura à l'écart, sans distinguer ce que chantaient ces hommes. La prière finie, les chanteurs se couvrirent le visage de leurs mains et s'inclinèrent en silence vers le sol. L'instant d'après, exactement l'instant d'après, apparut au milieu du kilim un grand plateau d'argent couvert de mets et de nourritures incroyables, si inouïes qu'aucun homme n'oserait les imaginer en ses pires délires : des fruits géants de couleurs vives, des sorbets, des sirops, des laits et des yoghourts de mille sortes, des montagnes de gâteaux et des ruisseaux de miel ! L'instant d'avant, il n'y avait rien, absolument rien sur le kilim. Yunus en était sûr. Et personne n'était sorti de la tente. Et personne n'y était entré.

L'un des hommes fit signe à Yunus de venir partager leur repas. Un vrai repas. Ces mets n'avaient rien d'illusoire. Des vrais fruits, des vrais yoghourts et des sorbets comme jamais il n'en avait mangé, des sorbets à la groseille, au miel de fleur d'oranger, à la gelée de roses! Mieux qu'un repas. Un vrai festin. Plus qu'un festin, un banquet comme seuls doivent en connaître les saints du paradis!

Au début, Yunus fut si abasourdi qu'il n'osa questionner personne. Fallait-il d'ailleurs troubler le repas de ces hommes qui se mirent à manger ces merveilles surgies de la terre ou descendues du ciel comme si tout cela allait de soi? A la fin du repas, quand chacun se remit debout, il s'approcha d'un des convives qui répondit à sa question:

– Nous chantons chaque matin les chansons d'un derviche inconnu et ces mets apparaissent aussitôt.

– Et ces chansons, comment les connaissez-vous?

– Le vent nous les apporte. On les note et on les apprend.

– Quelle est celle que vous avez chantée ce matin?

– Une de celles que nous préférons. Le vent nous l'apporta quand nous étions encore au Khorassan. Elle parle du corps humain et on la chante souvent:

Nous avons plongé dans l'Essence
  et fait le tour du corps humain
Trouvé le cours de l'univers
  tout entier dans le corps humain

Et tous ces cieux qui tourbillonnent
  et tous ces lieux sous cette terre
Les soixante-dix mille voiles
  dans le corps humain découverts...

L'homme avait déjà oublié Yunus, absorbé par le poème qu'il chantait, et Yunus s'éloigna sans bruit. Ainsi, le vent avait recueilli tous les chants qu'il improvisait, et les avait gardés dans l'antre secret de ses souffles puis dispersés à travers la steppe à l'intention de ceux qui sauraient les comprendre ! Et surtout ils avaient, ces chants, l'incroyable, l'impensable pouvoir de provoquer de tels miracles, de faire jaillir, comme Moïse, de l'eau en plein désert ! Quelle main ou quel être invisible avait ce matin disposé ces merveilles à l'insu de tous ? Cela, bien sûr, ne pouvait être l'œuvre du vent. Qui avait donc recueilli ses chants et l'en remerciait ainsi, à son insu ? Quand lui-même les avait chantés, il ne s'était produit aucun miracle ! Énigmes de la vie transfuge. Magies des chants transfuges qui, une fois entendus par le vent et dispersés par lui, acquièrent le pouvoir d'engendrer des miracles et d'embellir le monde. Si Yunus n'avait pas décidé de quitter le tekké d'Haci Bektas (d'ailleurs sur le conseil de ce dernier) et rencontré ces hommes, il n'aurait jamais su l'étrange pouvoir de ses chants. Mais peut-être que tout cela était inscrit ailleurs, sur les pages sensibles de l'Immense, que tous les pas, les chemins et les rencontres de Yunus étaient depuis longtemps décidés en Haut Lieu et qu'il ne faisait que suivre un itinéraire prévu et préparé pour lui ?

Ainsi, il lui avait fallu venir jusqu'ici, en ce lieu de la steppe où jamais jusqu'alors il ne s'était aventuré, pour comprendre la portée et le sens de ses propres chants. Venir jusqu'à cette tente, ancrée entre rêve et réel, jusqu'à cette aube où ses mots l'avaient rattrapé, où, découvrant le pouvoir insoupçonné de ses images, il était arrivé à la rencontre de lui-même. Ici, donc, s'achevait son errance et ici prenait corps le seuil de sa seconde vie. Il regarda ce seuil comme le décor intemporel – et si précis pourtant – qui symboliserait désormais l'entrée au pays de l'Amant. Des chiens, des enfants, des chevaux. Derrière eux, la tente dont les montants frémissaient légèrement sous le vent. Derrière lui, un bouquet de chardons que la rosée illuminait des signes irisés du miracle. Et il comprit que ses chansons étaient, elles aussi, la rosée du ciel. Elles laissaient dans le vent, l'horizon, le cœur et les lèvres des hommes le sillage enchanté de leurs images et de leurs mots. Il contempla, longtemps, les frémissants confins de son errance, les chiens qui s'étiraient dans le soleil levant, les femmes qui déjà s'étaient mises à la traite et les hommes qui, assis sur le miraculeux kilim, regardaient sans un mot l'horizon.

Il regarda. Puis, sans que nul ne le remarque, partit du pas léger des anges rejoindre son ancien tekké.

Le sang. Toute l'histoire de l'Islam naissant, après la mort de Mohammad, n'est qu'une histoire de sang. Si les deux premiers califes, Abu Bakr « le Véridique » et Umar, meurent de belle mort — disons plutôt d'une mort naturelle —, les deux suivants — Uthman et Ali, tous les deux gendres du Prophète —, mourront de mort violente : le premier tué à coups de sabre dans sa maison de Médine, le second alors qu'il dirigeait la prière du vendredi dans la grande mosquée de Koufa. Ainsi, dès le début, les héritiers s'entre-déchirent. Comme Caïn et Abel. Mais ces derniers n'étaient que des ombres, des silhouettes surgies de la détresse primitive, les symboles ancestraux des rivalités à venir, le cultivateur sédentaire et le pasteur nomade, le blé face à l'herbe et face au mouton, l'épi dressé contre la laine, le végétarien contre le carnivore (mais c'est l'offrande de ce dernier que Dieu préfé-rera !). Oui, comme celle de Caïn et d'Abel, l'his-toire des premiers descendants du Prophète commencera par une longue suite de meurtres fratricides.

A ceci près que ces luttes, ces meurtres, ces rivalités ne concernent plus des ombres ou des silhouettes mythiques mais des êtres humains, des califes et des imams de chair. C'est alors que s'opérera la scission absolue entre les partisans de la famille du Prophète et notamment d'Ali (qui formeront les communautés chiites) et ceux de sa tribu qui formeront la communauté des sunnites. De cette scission, de ce déchirement primitifs ressortent surtout l'image et le visage d'Ali, le gendre du Prophète, époux de sa fille Fatima, dont les descendants et plus tard encore les disciples formeront dans les sultanats seldjoukides puis l'Empire ottoman et dans la Turquie d'aujourd'hui le courant qu'on nomme alévi. Ali est presque toujours représenté en une pose hiératique, coiffé d'un lumineux turban, le menton ceint d'une barbe fine, une épée à la main, un lion couché juste à ses pieds. Sur une autre gravure populaire, on le voit avec son fils aîné Hassan, peint en vert parce qu'il mourut empoisonné, et son deuxième fils Hussein, peint en rouge parce qu'il mourut assassiné. C'est à Kerbéla, une palmeraie du désert irakien, que se jouera l'ultime tragédie des petits-fils du Prophète. C'est là qu'Hussein, vaincu au terme d'un siège de dix jours mené par le calife Yassid, mourra assassiné en même temps que quatorze autres enfants de la famille du Prophète. Ainsi, l'Islam naissant n'eut pas seulement son Caïn,

son Abel, il eut aussi son massacre des Innocents, dont un seul enfant réchappa pour devenir plus tard le quatrième imam des chiites :
Zeyn el Abidin, la parure des Dévots.

En retraçant l'histoire de ces meurtres anciens,
j'ai l'impression de recopier studieusement,
dévotement, les pages d'un livre d'histoire
sainte, illustré de gravures naïves. Scribe étranger à cette histoire, je n'en demeure pas moins
surpris par ses conséquences, encore très sensibles aujourd'hui, et sa vivante résurgence au
cœur de l'Islam alévi. On a le sentiment que ce
sang premier, fondateur, n'a jamais cessé de
couler tout au long de l'histoire des chiites et,
parmi eux, des alévis, sur les chemins et les plateaux d'Anatolie comme au cœur des confréries
soufies. Le sang d'Ali, celui d'Hassan, celui
d'Hussein sont devenus le Graal de l'Islam alévi.
Et ce Graal n'a cessé à son tour d'imager les
enseignements soufis, les paroles des hommes
et les chants des asiks. Jusqu'au seuil même de
cette tente où, abasourdi par la révélation du
pouvoir de ses chants, Yunus regarde dans
l'aurore montante les hommes de l'Immense,
assis en cercle, silencieux, sur le miraculeux
kilim. Oui, maintenant il les distingue mieux car
ils viennent de tourner la tête : tous, absolument
tous, sont le parfait et le vivant portrait d'Ali. Et
sur l'avant-bras de chacun, comme chez les
Quarante de la légende, coule un filet de sang.

La nuit transfuge

« Tant qu'un homme désire le Paradis ou craint l'Enfer, il ne saurait prétendre au moindre degré d'initiation. »

Enseignement soufi

Si en ces terres anatoliennes les colombes ne s'avèrent pas toujours être de vraies colombes, si le vent, au lieu d'être vent, se mue parfois en halètement d'anges (et l'on comprend que même des anges peuvent être atteints d'essoufflement quand ils accourent trop vite de Bételgeuse ou d'Altaïr), si ici les feuilles abandonnent les arbres chaque automne non par nécessité naturelle mais parce qu'elles tombent de fatigue à force d'avoir, tout le printemps et tout l'été, applaudi le nom de Dieu, et si les ruisseaux et rivières usent leurs rives en ruisselant et murmurant sans cesse les noms secrets du Créateur (c'est cela, la mémoire de l'eau), pourquoi la nuit où marche maintenant Yunus ne serait-elle pas éclairée d'une lumière elle aussi angélique, de l'irradiance d'un soleil noir nous éblouissant de ténèbres? Ébloui de nuit. C'est ainsi que Yunus avance en direction de son tekké, ébloui par la magnificence de cette nuit si blanche à force d'être noire.

Car, sur ces chemins nocturnes, il y voyait comme en plein jour, à croire qu'il avait acquis à son insu des yeux de chat, de lynx ou de hibou, à croire aussi que depuis son départ de la tente nomade, il était devenu non seulement léger et transparent – glissant, flottant sans ombre sur le sol –, mais nyctalope, en dernier avatar de ses métamorphoses. Autour de lui, tout brillait, luisait si nettement et si intensément qu'il pouvait distinguer le moindre détail de sa route, au cœur d'une lumière à la fois livide et prodigue, une lumière de soleil éclipsé en plein jour, quand les ombres deviennent blanches et la luminosité toute grise, en une nuit immaculée.

Serait-ce alors une lumière d'au-delà ? Question plus judicieuse que lorsque Yunus se trouvait sous la tente nomade, dans un décor d'arcs et de saz, de feutres et de pilier, trop prosaïque et décevant pour figurer celui de l'autre monde. Ici, plus de tente ni de pilier mais la steppe et l'espace infinis et un silence assourdissant et cette lumière de contre-nuit, cet éblouissement de minuit, signe évident que le vrai monde commençait à se dévoiler. Pas seulement le monde où le ciel inverse ses lumières, le corps sa pesanteur et l'œil sa clairvoyance, mais celui où la vérité ne s'atteint qu'à rebours de toute apparence et de toute évidence, où la Voie devient contre-voie. Car maintenant, Yunus n'est plus seulement l'ex-intrus et l'ex-reclus, le démuni, le dénudé, le délivré, il est aussi le dessillé, le clairvoyant et le lucide, en cette nuit où, luciole luminescente, il avance comme en plein midi vers le pays de l'éclosion.

Vois je marche comme embrasé
et mon cœur se noie dans son sang
Comment mon âme d'amour navrée
pourrait-elle ne pas pleurer ?

Que mon chant soit d'un rossignol
qu'Ami je dorme en ton jardin
Que rose devenu j'éclose
et ne me fane plus jamais

L'amour m'est unique remède
voué je suis à cette voie
C'est Yunus Emré qui le dit
qu'amour jamais ne m'abandonne.

Tentes closes sous la lune. Nomades ensommeillés. Moutons lovés en cercles disparates sous les flocons des astres. Chameaux dispersés dans l'herbe, cou redressé soudain comme si la nuit les muait en veilleurs hiératiques, en guetteurs d'invisible. Chiens roulés en boule devant l'entrée des tentes, grognant ou gémissant sous la caresse ou la morsure des rêves. Margelle d'un puits isolé dans la steppe. Et flaques d'eau fantomatiques au pied de ses pierres patinées. Herbes froissées, aplaties ou dressées traçant l'humble réseau des passes et des piétinements. Rus à sec comme blanches cicatrices sous la clarté lunaire attestant le harcèlement des orages. Yunus observe tous ces détails familiers tout en avançant léger, transparent, lumineux dans la steppe transfigurée. Car tout est devenu non seulement visible mais plus encore : dévoilé, révélé.

Lune étant devenu, je naquis à la nuit
En nuage changé, dans le ciel j'ai blanchi
Averse drue, j'ai fécondé la terre
Lumière nue, j'ai séduit le soleil.

A mi-chemin des nuages, à mi-chemin des anges, à mi-chemin des astres, embrasé d'un feu inadurant (comme ces feux follets qui courent sur la mer par les nuits orageuses ou sur les ossements épars d'un cimetière), Yunus a franchi cette nuit tous les seuils entre visible et invisible. Il a franchi ce qui sépare le jour de la nuit, la rose de son épine et l'huître de sa perle. Il est l'huître et sa perle, la rose et son épine, le sable et le rivage, le chant et le chanteur, la bouche et le baiser, l'errant et le chemin. Ce n'est pas là fusion des sens ou confusion des sons mais noces de l'acte et du désir, de la flèche et de l'horizon. Et jamais autant qu'en cette nuit Yunus ne s'est senti à ce point traversé, approuvé, attendu, désiré par tout ce qui l'entoure. Ces chiens qu'il vient d'apercevoir et qui dorment là-bas devant le seuil d'une bergerie, qui se redressent en l'entendant et qui se ruent vers lui non pour le dévorer mais pour se rouler à ses pieds, le lécher et se mettre à le suivre. Ou ces chardons qu'il frôle, oui, ces chardons aux tiges empesées par le givre nocturne et qui s'inclinent pourtant sur son passage, gauchement mais solennellement ! Yunus s'aperçoit que jusqu'alors il n'avait jamais observé les chardons ou qu'il avait à peine remarqué leur présence. Mais

maintenant il est chardon et il ressent soudain ce
qu'éprouvent secrètement les chardons : la profonde
injustice de leur sort, être un soleil d'épines, un astre
cuirassé, n'avoir au lieu de bras pour étreindre et
aimer que des moignons inconsistants, être une
étoile de terre qui ne rayonne rien, qui ne scintille
rien, alors que tout chardon voudrait, comme son
nom le dit ouvertement, être un cœur ardent brûlant
de se donner, oui, vivre une vie de fleur, ne fût-ce
qu'un court instant, ressentir l'amertume et l'émoi
des chardons, ces faux soleils privés du vrai soleil
qu'ils vénèrent mais dont ils ne sont qu'un reflet
dérisoire avec leur tête hirsute, leurs capitules éche-
velés, des soleils éteints, des soleils proscrits, relé-
gués dans le pénitencier glacé de la steppe (et ils
n'ont pas, eux, comme la flûte ou la noria, la res-
source de geindre et de se lamenter, ils ne peuvent
que s'incliner, se courber, s'affaler pour dire leur
impuissance ou leur imploration) ; oui, devenir chardon, ne fût-ce qu'un court instant, voilà la contre-
voie offerte cette nuit sur le chemin du Clairvoyant.

Ou bien devenir oiseau, fourmi ou papillon. Sentir, ressentir le pourquoi de leur vol, de leur four-
millement, pourquoi ils crient, croassent ou piaillent
dans le ciel ou pourquoi ils s'obstinent à œuvrer obs-
curément sous la terre. Être fourmi, oui, devenir
fourmi juste un temps est peut-être aussi une
contre-voie. Autant qu'être colombe ou aigle. Il n'y a
pas de chair privilégiée pour la métamorphose, celle
qui plus tard fera de vous un Homme.

Fourmi ou papillon. Depuis qu'il marche au cœur de cette nuit, Yunus ne fait plus qu'un avec les bruits du monde, des bruits ou des langages jamais entendus jusqu'alors : le chuchotement des chenilles enkystées sous les branches, par exemple, rumeur diffuse mais ininterrompue, amoureux bruit de fond de la nuit, annonce d'une certitude printanière, de l'éveil et de l'envol futurs qui feront de la chrysalide, bouillie sonore mais somnolente, la pâte d'un ange à venir, en train de s'esquisser dans le pétrin des pupes. Car le papillon est contenu dans la chenille comme le vin l'est dans la grappe, comme l'estuaire l'est dans le fleuve, l'ange dans l'homme et l'aube dans la nuit.

Elle a surgi d'un coup comme à son habitude, sans apprêt et sans apparat et sans le moindre égard pour les étoiles qui furent contraintes de s'éteindre précipitamment. Aube anatolienne. Et là-bas, nettement visible malgré la distance, le tekké de Yunus. Les concerts et les voix nocturnes se sont tus et la lumière (celle de la nuit immaculée) est devenue d'un coup l'albâtre diurne de l'aurore.

Yunus se retourna et vit que les chiens, eux aussi, avaient disparu. Avec les voix, les rumeurs et les étoiles. Plus rien qu'un léger vent et que le poivrier écartelé sur la colline. Et les murs du tekké. Et les abois de ses molosses.

Yunus s'approcha de la porte et, comme il l'avait fait lors de son arrivée, s'étendit de tout son long devant le seuil, immobile, bouche contre terre.

Flotter au-dessus du sol ou marcher sur les eaux, perdre son ombre, devenir transparent ou même luminescent, se promener comme en plein jour dans les nuits les plus noires, percevoir la rumeur des chenilles, comprendre l'aveu des chardons ou le plain-chant montant de la procession des fourmis, s'incliner avec les roseaux, frémir avec les peupliers, se poser, colombe, sur la cime d'un minaret ou, faucon, sur le poing ferme d'un cavalier partant chasser dans le désert, ou encore se multiplier, être à la fois dans la chaleur d'une yourte nomade et sur une piste de caravane, dans la cellule de son tekké et au marché de la ville voisine, être en soi et être hors de soi, être soi-même et être l'autre, tout cela était monnaie courante dans la vie de certains derviches. De ceux du moins qui étaient parvenus au stade ultime de la Voie.

Car c'est alors, sur ce seuil indicible, que le monde s'inverse pour tenir ses plus fabuleuses promesses et qu'on accède, le plus souvent à son insu, au cœur du miraculeux. Dans le *Vilayet Nâme,* Le Livre des Amis de Dieu qui relate la vie légendaire d'Haci Bektas Veli, miracle et merveilleux l'accompagnent de sa naissance jusqu'à sa mort. Le nom lui-même, Bektas, signifie Pierre précieuse. Il lui fut donné parce qu'il naquit avec, au sommet du front et dans la paume d'une de ses mains, un grain de beauté vert, comme Ali. Ce qui explique évidemment qu'il ait manifesté dès sa plus tendre enfance une précocité attestée et une nette prédisposition aux prodiges. Un jour – il avait quatorze ans – que des vieillards grincheux – probablement jaloux – lui demandent de quel maître il tient son enseignement, il répond : « Est un maître celui qui peut étaler son tapis de prière sur une feuille de sésame et se prosterner dessus par deux fois. » Et, jetant dans les airs son tapis, il y monta pour faire sa prière. Beaucoup des prodiges qu'il accomplira par la suite, au cours de ses voyages dans le Khorassan, à La Mecque ou en Anatolie, font partie du répertoire des saints orientaux, à quelque religion qu'ils appartiennent. C'est pourquoi on retrouve dans la vie légendaire d'Haci Bektas des exploits déjà manifestés et accomplis par les ascètes chrétiens des déserts d'Égypte et de Syrie. La rencontre et la maîtrise des lions, par exemple. Attaqué par deux lions alors qu'il traversait le désert du Kurdistan, il les transforme en statues de pierre que, dit-on, on peut voir encore. Et quand il se promène au bord d'une rivière, les poissons sortent aussitôt leur tête hors de l'eau pour le saluer. Haci Bektas manifesta très tôt un vif intérêt aux oiseaux et pour surprendre, distraire ou étonner, prenait plaisir à se transformer en colombe. Comme il vécut essentiellement dans un monde rural, ses miracles concernent surtout les événements saisonniers et les travaux des champs. Invité à partager le repas de paysans très pauvres qui n'avaient que du pain de seigle, il leur dit : « Allez voir votre champ. » Les paysans s'aperçoivent alors que leur seigle est devenu du blé. Il lui arrive aussi de faire croître et mûrir les fruits hors saison en un temps record, celui d'une simple prosternation. Ou, un jour qu'il voulait prier dans un endroit dépourvu d'ombre, d'obliger un chêne à incliner ses branches au-dessus de sa tête pour l'abriter ! Le monde entier devient son complice. Même les pierres, en l'occurrence cinq stèles dressées sur une colline, qu'il fait parler pour confondre un voleur. Et même les pommiers qu'il fait fleurir et fructifier en plein hiver, un jour où il désire manger une pomme et s'aperçoit que sa besace est vide. D'ailleurs, à quoi reconnaît-on immanquablement un homme de Dieu, celui qu'Haci Bektas lui-même appelait un Homme ? Sarou, l'un de ses disciples, l'apprit incidemment un jour que le maître était monté précisément dans un pommier pour y cueillir des pommes. Levant la tête, Sarou aperçut sous la bure les testicules du maître. Testicules bien particuliers, pour ne pas dire bien singuliers, puisqu'en leur lieu et place, il y avait une rose blanche et une rose rouge !

Laisser l'empreinte de sa main sur un rocher comme s'il était d'argile molle, multiplier les pains dans une noce ou les arbres d'une forêt pour fournir du bois aux paysans déshérités, ordonner dans un champ aux épis de se rassembler pour faciliter la moisson, imposer à des grenouilles volubiles un silence définitif, déplacer des meubles et des cierges à distance, que sais-je encore, Haci Bektas a pratiqué toute la gamme des prodiges. Ce pouvoir d'agir sur le monde et d'agir aussi sur soi-même par la métamorphose atteste que l'initié devenu maître a bien franchi les quarante stades de l'initiation, dans tous les sens et avec tous ses sens. Dès cet instant, il est à même d'adopter tous les états, de connaître tous les langages et de prendre toutes les formes possibles. Il est devenu vivante trinité puisqu'il peut être, puisqu'il est à la fois un homme, son image dans le miroir du monde et le miroir lui-même. Et, signe plus tangible encore, qu'il porte en place de testicules une rose blanche et une rose rouge!

Le fleuve

« Jusqu'ici j'étais une source
　　Quand les Parfaits
m'ont regardé
Je suis devenu une mer
　　Me baignant des quatre
côtés. »

Yunus Emré

Le fleuve. Si lumineux à force de se vouloir miroir unique pour le ciel. Et veilleur de murmures en sa source puis sentinelle des portes de Sivas puis riverain des aigles et des loups en son sillage de solitude puis guetteur des hauts plateaux de Cappadoce puis défricheur des montagnes pontiques avant, face aux rivages de la mer Noire, d'enliser son estuaire dans le rêve des roseaux.

Le fleuve Rouge. Le Kizil Irmak. Yunus aime venir s'asseoir sur ses rives pour écouter l'aveu des eaux qui ici n'est jamais imploration ni déploration mais plaisir de couler, bonheur de s'épandre et de s'épancher en chutes jubilantes ou de s'étaler en nappes improvisées pour accueillir hérons et mouettes.

Yunus aime les fleuves parce que leurs eaux viennent de loin et qu'elles sont elles aussi une voie vivante et vibrante, un cheminement fait de rencontres et de refus, de noces et de séparations, d'affluences et de confluences, d'obstacles surmontés, de gorges caressées et d'estuaires accomplis. Combien de sources s'achèvent-elles un jour par un estuaire ? Très peu sans doute. Il faudrait être sourcier subtil, guetteur et voyeur d'émergences, chroniqueur d'affluents pour découvrir combien d'entre elles s'agrandissant en rus puis en rivières puis en fleuves méritent un estuaire. Car jamais, bien sûr, on ne pense à tous les rus inaccomplis, ni aux ruisseaux inaboutis écoulant une eau orpheline à jamais privée de la mer. L'estuaire n'est pas l'aboutissement mais l'accomplissement de la source, ce Je minuscule qui sourd, croît, s'accroît, s'affirme, s'écoule puis se perd dans l'anonymat de l'Immense. Car le Large est au chemin d'eau ce qu'est l'Immense au chemin de terre : une rencontre avec l'universel.

Depuis qu'il est revenu au tekké, Yunus a le sentiment d'avoir lui aussi avancé comme un fleuve, traversant, évitant, contournant, surmontant les mille obstacles de sa route et recevant tout au long du parcours affluence d'amis, confluence de compagnons. Maintenant, il pressent ce qui déjà s'esquisse en cette odeur d'Immense. Une odeur qui n'est plus celle d'une nuit sédentaire passée sous une tente en la compagnie des Parfaits mais celle d'une eau nomade en son profond désir d'estuaire.

Yunus s'est étendu à l'aube sur le seuil du tekké et les molosses, flairant aussitôt sa présence, se précipitèrent vers la porte en aboyant de joie. Quelques instants plus tard, Tapuk Emré et sa femme, que chacun ici appelle Mère-Sœur, s'approchèrent de la sortie et le maître aveugle s'écria : « Il y a quelqu'un sur le seuil. – Oui, il y a quelqu'un » dit sa femme. Alors, Tapuk, ouvrant la porte, s'immobilisa et demanda après un long silence : « Est-ce notre bon Yunus ? – C'est notre bon Yunus. » Yunus se releva, baisa les mains du maître retrouvé, apaisa et caressa les chiens et alla aussitôt vers le réduit reprendre son balai. Celui-ci se tenait bien droit, exactement comme il l'avait laissé, intact, inapproché, talisman qui avait veillé son absence.

Rien n'a vraiment changé dans le tekké si ce n'est que le temps semble s'y dérouler différemment. Dans la pièce attenante à la salle de cérémonie, Mère-Sœur continue de tisser ses kilims. Le bruit de la navette rythme les pantomimes de ses mains liant, nouant, tranchant les fils pour édifier une cité d'images millénaires dont les figures disent non plus l'estuaire du temps mais sa source captée dans le réseau des fils : la Terre-Mère, l'Arbre de vie, et les symboles des tribus et des clans primitifs, l'épi, le loup, le taureau, le bélier, la cruche et la yourte nomade. Et pour le rêve et le destin : l'étoile. Yunus vient souvent regarder Mère-Sœur travailler, il admire les gestes précis de ses mains, si précis et surtout si gracieux qu'on pourrait croire, si elle n'avait pas son métier devant elle, qu'elle cherche à capturer, à caresser des oiseaux invisibles ou à parler avec les anges dans le langage des sourds-muets. Et ce qui surgit de la trame du métier, ce qui se forme et s'historie à mesure qu'avance le dessin, ce sont des gestes cérémonieux, de grands appels figés montrant les terreurs d'antan mais aussi les espoirs de ces temps incertains, bras levés ou tendus vers le ciel ou le sol pour faire venir la pluie ou pour chasser l'orage, pour écarter le loup ou attirer le buffle, féconder le ventre des femmes ou les entrailles de la terre. Tout cela avec des couleurs bistre, ocre, jaunes et rouges, palette de ces terres rudimentaires qui viennent ici mêler leur limon à la laine pour y inscrire des talismans contre la mort. Yunus connaît depuis longtemps l'art des kilims mais il n'avait jamais vu leurs figures naître ainsi et s'élaborer sous ses yeux avec une telle aisance, une telle précision, et il regarde se lever et s'éployer sur le métier des ciels immenses et redoutables, des montagnes infranchissables, des orages imprévisibles, toute une nature à la fois hostile et prodigue, que les mains tisserandes doivent séduire et maîtriser. Un monde archaïque et impitoyable où se devinent la sueur et le sang des épreuves, les luttes contre les fauves et la terreur des monstres, mais aussi les forces qui commandent et conjuguent l'énergie bienfaisante du monde : la main, l'épi, l'étoile.

Au tekké, des séances de chant et de musique suivent parfois l'exercice du dhikr. Peu de temps après le retour de Yunus, Tapuk, à la fin d'une des cérémonies, lui tendit son saz. Geste inattendu.

Yunus hésitait à le prendre mais en voyant tous les regards posés sur lui, il comprit que les derviches attendaient, cette fois, une réponse depuis son retour parmi eux : était-il toujours le Yunus d'avant son départ, cette ombre solitaire et balayante préférant à leur compagnie celle des chiens et de la poussière, ou était-il revenu autre, était-il ce Yunus annoncé par les rumeurs de la steppe, celui que ces rumeurs nommaient le Délivré, le Dessillé, le Clairvoyant et dont les chants provoquaient des miracles ? Rien n'avait changé, semblait-il, dans l'apparence et l'attitude de Yunus. Il vaquait comme avant dans la cour, tenant avec les chiens, le mûrier, le balai les mêmes propos énigmatiques, leur parlant de nuits aussi blanches que l'aube, de marches au-dessus du sel de la steppe et de loups qui le suivaient docilement. Au mûrier, il racontait même des histoires de feuilles applaudissant le nom de Dieu !

Une seule chose avait vraiment changé : Yunus maintenant quittait souvent le tekké pour aller méditer sur les rives du fleuve. On dit même qu'il y chantait. Mais ces chants, pourquoi les gardait-il pour le fleuve, pourquoi ne les chantait-il pas ici ? Yunus comprit toutes ces questions dans les yeux des derviches et c'est pourquoi il prit le saz. Il l'accorda, y essaya quelques notes puis se mit à jouer. Une sorte de prélude pour accorder ses doigts à l'instrument, trouver en lui les mots qui plus tard iraient jusqu'à ses lèvres. Un prélude comme le battement impatient du poème à venir, un cri répété de naissance, jusqu'à ce que notes et mots deviennent en sa bouche vibrations parallèles, miroirs réciproques des sons, unisson des doigts et des lèvres. A la surprise de tous – surprise qui bien sûr ne se lut pas sur les visages mais se devina au cœur de chacun – il chanta un thème nouveau, inattendu, un chant très différent de ceux que le vent avait apportés ici même, en son absence, qui ne parlait pas, cette fois, de noces avec l'Aimé, d'errances embrasées, des cris de la séparation ou des mystères du corps humain ni des norias qui pleurent ou des fleuves appelant la mer mais de son long chemin à travers les pays et les hommes, où il s'était senti comme happé par l'Ailleurs et ôté de son propre corps :

> Y a-t-il en ce monde
>   un étranger pareil à moi
> Tête baissée, les yeux en pleurs
>   un étranger pareil à moi ?

> Par la Syrie, l'Anatolie,
>   errant de pays en pays
> J'ai tant cherché, jamais trouvé
>   un étranger pareil à moi.

> Ma langue parle, mon œil pleure
>   pour l'étranger je me consume
> Au ciel mon étoile est sans doute
>   une étrangère pareille à moi.

Comme brûlure est cette peine!
    Quand la mort viendra me prendre
En ma tombe je trouverai
    Un étranger pareil à moi.

« L'étranger est mort » dira-t-on
    on le saura trois jours après
Et à l'eau froide ils laveront
    cet étranger pareil à moi.

O mon Emré, pauvre Yunus
    A ta peine pas de remède
Car erre à présent par le monde
    Un étranger pareil à moi.

Comment ne pas se sentir étranger près d'un fleuve ? Étranger à sa source, à son cours mais aussi aux méandres de sa pensée, aux précipitations comme aux hésitations de son courant, à ses repentirs dans les sables comme aux fureurs de ses crues ? Comment aussi ne pas se sentir tributaire de ses rives, prisons d'herbe et de terre, remparts butés où se heurtent les désirs de l'eau ? Depuis sa nuit transfuge, Yunus, lui, a trouvé dans le Kizil Irmak un frère parallèle. Il est devenu chrysalide humaine, chrysalide entre deux destins.

Chrysalide mais pour quel ciel ou quel printemps ? Éclore ne suffit pas, encore faut-il accéder à un monde qui vous attend et même qui vous espère, un monde avec un ciel, un espace, une lumière et un soleil appropriés, avec des fleurs, des arbres et des pollens nouveaux, des couleurs, des senteurs, des saveurs jamais rencontrées. Au fond, un monde qui ne saurait demeurer lui-même sans chrysalides ! Voilà ce que veut dire éclore : non pas transpercer, déflorer des membranes visqueuses, de flasques opercules en croyant découvrir le ciel de ses rêves de pupe mais être digne d'un monde encore jamais pensé, radicalement, viscéralement, substantiellement différent de celui des larves, des eaux et de la terre. Un monde auquel, lorsqu'on est homme (et non chenille), il faut savoir se préparer. Qu'il faut faire advenir au besoin. Quand un papillon quitte sa chrysalide, il s'aperçoit qu'il a des ailes sans y avoir pensé ou sans l'avoir voulu. Mais l'homme, s'il veut des ailes, il doit les penser, les prévoir, les préparer dès cette vie. Car ce qui l'attend bien au-delà des fleuves et des rives, c'est un monde où les choses – et même les pensées – n'ont plus le même poids que sur la terre. Un monde sans pesanteur aucune. Où il faudra apprendre à se mouvoir, peut-être même à s'émouvoir avec des gestes lents et maladroits de cosmonautes abandonnés au vide, un monde où tout est pur vertige, comme celui que doivent connaître les anges la première fois qu'ils sont affrontés à l'Immense. C'est cela qu'éprouvait déjà Yunus sur la rive du fleuve, cela aussi qu'il avait ressenti quand, traversant le grand lac asséché et salé, son corps s'était mis à flotter au-dessus du sol : le sentiment d'un air allégé, d'un monde sans pesanteur qui l'attirait et même qui l'aspirait vers lui. Un monde où l'on volait déjà sans ailes.

Quelques années après la mort de Yunus, un haut personnage du nom de Mollah Kasim voulut lire ses poèmes. Il se plongea dans leur lecture mais horrifié par la liberté de leur ton et des images et trouvant que ces poèmes étaient contraires à la foi et à la religion, il les brûlait au fur et à mesure puis jetait les cendres dans l'eau. Il en brûla ainsi des centaines jusqu'au moment où il tomba sur un passage qui disait :

> *Yunus, ne parle jamais au hasard*
> *Car un jour un Mollah Kasim*
> *Voudra te poser des questions.*

Comprenant qu'il s'était trompé, Mollah Kasim garda précieusement les poèmes qu'il avait encore et c'est pour cela, disent tous les asiks, que les poèmes de Yunus ne sont pas seulement récités sur la terre mais par des milliers d'anges au ciel et des milliers de poissons dans la mer. Oui, chaque être vivant de ce monde chante maintenant Yunus, avec ou sans saz, avec ou sans bouche, avec ou sans ailes, avec ou sans nageoires. Et aussi le vent, les nuages, les oiseaux. Seul, dans les temps jadis, Orphée eût pu rivaliser avec Yunus puisque, lorsqu'il chantait, les arbres s'inclinaient vers lui pour mieux l'entendre. Ainsi, nous saurons maintenant que les feuilles des arbres (celles, du moins, des arbres à feuilles caduques) ne sont pas seulement des mains qui applaudissent à l'occasion le nom de Dieu mais des oreilles qui savent percevoir les secrets du monde et celui des poètes.

Il est vrai que parmi les centaines de poèmes rassemblés sous le nom de Yunus Emré et qui pour la plupart sont des poèmes d'amour incandescents, d'amour de l'Ami, de l'Aimé, de l'Amant, quelques-uns s'en distinguent radicalement par leur genre et leur ton. Ils ressemblent à ces poèmes étranges, absurdes en apparence, ces poèmes sans queue ni tête qu'on nommait au Moyen Age des fatrasies. Les fatrasies, c'est le monde à l'envers ou, si l'on veut, l'envers du monde, domaine familier à Yunus. Lui-même en écrivit plusieurs et l'on sent bien à leur lecture que leur absurdité n'est qu'apparente. Un sens, un chemin précis se devinent en leurs folles images. Que Yunus les ait pratiqués alors montre bien qu'en ces confréries on usait aussi de ce moyen détourné – connu des seuls initiés – pour enseigner les chemins cachés de la Voie.

> *J'ai mis des briques dans le chaudron*
> *Et le vent les a fait bouillir.*
> *On me demanda ce que c'est.*
> *Je dis : C'est moi-même, mangez !*

Que peut bien vouloir dire Yunus avec cet
étrange poème ? Faire bouillir des briques pour
les manger n'est pas une occupation très courante et encore moins de nature religieuse. Et
pourtant ! Lorsque Yunus parle de briques, il
faut bien avoir à l'esprit qu'il s'agit de ces
briques de boue simplement séchées au soleil,
comme en font tous les paysans en Anatolie.
Pour qu'elles deviennent un matériau utilisable,
il faut évidemment les cuire, pour les durcir
comme on le fait avec toutes les poteries. Mais
pourquoi, une fois cuites, deviennent-elles
Yunus ? Parce que le corps de l'homme étant
fait lui aussi de boue et d'argile, il doit, pour
devenir totalement humain, mériter d'être
appelé un Homme, passer par le même proces-
sus : la cuisson. Et la cuisson par l'initiation
dont le rôle est d'endurcir, de cuirasser le cœur
et le corps du novice pour qu'il soit en état de
résister le jour venu à la Rencontre. Que dit
d'ailleurs Aflaki, maître soufi qui vécut un siècle
après Yunus Emré ?
« Pour les hommes de Dieu, il y a des cir-
constances et des nécessités qui peuvent être
comparées à la faim et à la soif et qu'on ne peut
traiter que par le samâ. Sinon, devant l'excès de
terreur causé par les apparitions et les lumières
de la splendeur divine, le corps béni des saints
fondrait comme de la glace au soleil de juillet. »

Comme de la glace au soleil de juillet! On voit clairement ici le rôle de l'initiation : préparer le corps et affermir suffisamment le cœur de l'homme pour qu'ils résistent à la Rencontre. Alors, de cru qu'il était, l'initié devient cuit, paré et préparé pour l'ultime épreuve.

> *Grimpé sur le prunier*
> *Je me suis régalé de raisins*
> *Et le jardinier m'a crié :*
> *Pourquoi manges-tu mes noix ?*

Des prunes. Des raisins. Des noix. Et tout cela sur le même arbre! Serait-ce un traité fantaisiste d'horticulture? Pas du tout. Dans ces images déconcertantes on découvre un chemin secret et précis. Que mange-t-on dans la prune et qu'en délaisse-t-on? On mange la pulpe et l'on rejette le noyau. Dans le raisin, par contre, on mange tout, pulpe et pépins. Mais dans la noix, c'est le contraire de la prune : on ne mange que le noyau et on rejette l'enveloppe. Ainsi aller de la prune à la noix, ce n'est pas folâtrer dans l'invraisemblable mais commencer par l'extérieur et l'apparence pour aboutir à l'intérieur et à l'essence. Chemin typique de toute initiation. Manger des noix sur un prunier (ou des prunes sur un noyer), faire tenir un bœuf sur l'aile d'un moineau ou un aigle entier sur celle d'une mouche, pêcher un poisson dans un peuplier,

voir une cigogne pondre un ânon, tous ces illo-
gismes ont leur logique secrète et leur absurdité
n'est là que pour dissimuler au profane le message précieux qui s'y cache. D'ailleurs, au terme
du poème, Yunus lui-même nous le dit :

> *Yunus utilise ici un langage*
> *A nul autre pareil*
> *Car entre initiés très souvent*
> *L'idée voile son vrai visage.*

Contre-poème : chant parfait de la contre-voie.

L'estuaire

« De toute façon, je ne
suis fait ni pour ce monde
ni pour l'autre. »

Achrab

A présent, terre, ciel, mer appartiennent à Yunus ou plutôt Yunus leur appartient. Au point qu'il ne distingue plus ce qui sépare l'eau du fleuve de cette même eau devenue mer ni le limon du lit de son odeur de genèse ni la lumière du ciel de celle que reflète le fleuve. Tout se mêle en une confrérie de scintillements, un samâ d'éblouissements, une apothéose de lumières célébrant les noces du fleuve avec le Large. Et l'Universel. Pourquoi les fleuves n'auraient-ils pas droit eux aussi à la délivrance, la délivrance de leurs rives après les épreuves de l'errance, les atermoiements des méandres ? En regardant couler l'eau du Kizil Irmak, Yunus s'est souvent demandé quelle quantité d'eau de la source, de l'eau originelle demeurait encore au terme du trajet. A peine quelques gouttes, probablement. Ainsi, tout au long de son cours, le fleuve ne cesse de changer de substance, de se charger d'eaux étrangères qu'il incorpore à son courant et pourtant, d'un bout à l'autre de son trajet, il conserve le même nom.

Yunus, lui aussi, a conservé le même nom malgré tous les affluents étrangers en sa vie. Et pourtant quel rapport y a-t-il entre le Yunus qui, trente ans plus tôt, balayait inlassablement la cour du tekké et le Yunus qui maintenant admire les eaux du fleuve ?

Autour de lui beaucoup d'autres choses ont changé au tekké. Sauf son balai. C'est que lutter avec succès contre le vent et la poussière, triompher de l'impondérable implique à travers le temps constance et identité. Si Yunus devait un jour avoir une tombe, c'est cet emblème rassurant qu'il y mettrait : un balai. Ce gage de certitude et de fidélité. Mais Yunus est loin d'être mort. D'ailleurs, pour lui, ce mot n'a pas de sens. Un délivré, un dessillé, un dévoyé, un défloré ne décède jamais : il accède. Il accède à l'Immense et à l'Universel.

Au tekké, la vie continue comme si le temps resserrait ses heures et ses jours. Les chiens sont moins agiles, moins prompts à aboyer, ils vieillissent, c'est évident, mais à l'intérieur de leur corps où le Temps doit œuvrer à l'instar des fourmis. Le mûrier, lui, est toujours le même parce que ses heures et ses saisons obéissent à d'autres rythmes. Cet envers quotidien du monde, ce très patient compagnonnage avec le mûrier, les molosses, le balai, la poussière (et le frisson au loin des montagnes qui bougent), tout cela depuis le retour de Yunus demeure sa nourriture favorite. Il se repaît d'évidence et d'infime. Car il faut voir les choses comme elles sont : la Rencontre a eu lieu et Yunus sait qu'il a connu là l'ultime épreuve annoncée par Haci Bektas, qu'il n'en connaîtra jamais d'autre en ce monde ou dans l'autre. Il sait aussi que tous les noms qu'il murmurait ou qu'il chantait dans ses errances, l'Ami, l'Aimé, l'Amant, n'ont plus de raison d'être. Haci Bektas avait raison : Il n'a pas de nom. Il n'a jamais eu de nom. Le nom n'est qu'un masque, un écho, un accident ou un ricochet du silence parvenu jusqu'à nous par erreur. Si Dieu devait avoir un nom ou s'il fallait à tout prix Lui en donner un, alors un seul Lui conviendrait : Personne. Et l'Immense et l'Universel eux aussi ont des noms trompeurs car leur vrai nom est l'Anonyme.

Et il rêve maintenant du vrai pays des hommes qui est le pays apatride, le pays anonyme, aussi étrange et familier qu'un ailleurs parallèle, il rêve aussi d'une religion sans pays et sans nom, d'une religion sans livres, sans rites et sans Lieux saints. Et bien sûr, puisqu'ils ne sont tous deux que l'absurde écho de nos peurs et de nos désirs, d'une religion sans Enfer et sans Paradis. Et surtout sans Révélation. Aucune religion ne peut à elle seule détenir la vérité de ce monde et encore moins celle de l'autre. Tous les fleuves s'équivalent dès l'instant où ils parviennent jusqu'à la mer et y fondent leurs eaux dans la fraternité des estuaires. C'est cela pour Yunus, un estuaire : le rivage qui disparaît, devenu inutile, les eaux qui se confondent, devenues identiques, les noms qui s'abolissent, devenus superflus. Et ciel et terre qui se rejoignent.

Ciel et terre qui se rejoignent enfin. Yunus sait qu'il ne rentrera pas, qu'il ne rentrera plus au tekké. Son nom va le quitter, son corps va se dissoudre et son cœur s'arrêter. Il est encore, un court instant, entre deux souffles mais à présent, il n'a plus besoin des noms acquis au cours de ses épreuves, le Délivré, le Dessillé, le Clairvoyant, le Transparent, il n'a plus besoin de ces noms pour devenir passeur d'Immense.

Passeur d'Immense. Voilà son ultime voyage. Derrière lui, personne. Et devant lui, personne. Personne ! Serait-ce celui-là, le centième nom de Dieu, que nul jamais ne connut et ne prononça ? Il se mit à rire et à l'instant même où il se mit à rire, il se trouva effacé de la rive et du paysage. Effacé ! Disparu. Aspiré. Aboli ? Non. Effacé du visible, peut-être enté dans l'invisible. Sur la rive, sur l'herbe, contre l'écran du ciel, plus aucune trace de Yunus.

Seule, sur la surface étale du fleuve, la rosace frémissante d'un poisson venu pour respirer. Et dans le ciel au loin le tournoiement vertigineux d'une mouette en quête de courants ascendants. Aspiré. Effacé. Transfuge de ce monde transfusé dans l'Immense. Et enté d'invisible, enté d'apesanteur.

« Des centaines de tombeaux portent son nom mais son corps n'est dans aucun d'eux. Des centaines de livres lui sont attribués mais lui-même n'a laissé aucun livre », écrit Sabahattin Eyuboglu, le biographe de Yunus Emré.

Personne. Des tombeaux vides. Des livres absents. Et pas davantage de nom puisque Yunus Emré n'était que son nom de derviche, son nom de Délivré.

Personne. Mais des centaines, peut-être des milliers de poèmes recueillis par le vent, les anges et les hommes. Et des centaines de livres rassemblés et récités au fil des siècles. Rien ne pouvait mieux convenir à Yunus que ces tombeaux déserts où ne demeurent plus que l'écho des légendes et que ces poèmes devenus la bouche et la mémoire anonymes du peuple. Là seulement, on peut le retrouver au chaud de ses émois, dans le brasier de ses images, la lumière de son verbe et en ses pleurs émerveillés.

Personne. Quand on a enfin rencontré Personne, quand on est enfin devenu Personne, que reste-t-il d'une vie d'homme ?

C'était Dieu que je désirais.
       Je l'ai trouvé. Et puis après ?
J'ai sangloté jour après jour
       et puis j'ai ri. Et puis après ?
Aux entretiens des initiés
       j'étais bouquet de roses rouges
J'ai fleuri puis l'on m'a cueilli
       me suis fané. Et puis après ?

Si les sages et si les savants
        dans le médressé ont trouvé
Moi c'est au fond de la taverne
        que j'ai trouvé. Et puis après?
Écoute Yunus, écoute-le,
        écoute ce fou de Yunus.
Oui, j'ai plongé dans le savoir
        des initiés. Et puis après?

* Les exergues qui introduisent chaque chapitre sont tirés des œuvres de différents asiks anatoliens et orientaux s'échelonnant du XIe au XVIe siècle.

* La citation de la page 15 sur les cendres des amants morts est extraite de Diderot, *Lettres à Sophie Volland*.

* Les traductions des poèmes de Yunus Emré cités dans ce livre – et pour quelques-unes adaptées par moi – sont de Guzine Dino.

J'ai fait également appel au recueil intitulé *La Montagne d'en face*, anthologie de poèmes des derviches anatoliens, traduits par Guzine Dino, Michèle Aquien et Pierre Chuvin (Fata Morgana, 1986).

* Les épisodes de la vie légendaire d'Haci Bektas Veli sont tirés du *Villayet Nâme* (Le Livre des Amis de Dieu), texte du XIVe siècle traduit et présenté par Kudsi Erguner (*Le Courrier du Livre*, 1984).

* Enfin, je signale le numéro spécial de la revue *ANKA* paru au moment où j'achevais ce livre, consacré à huit siècles de poésie populaire anatolienne et intitulé *En suivant les achiks* avec une belle introduction et des traductions nouvelles de Françoise Arnaud-Demir.

TABLE DES MATIÈRES

Conception de la colombe : Yves Setton

Cet ouvrage a été réalisé par la
SOCIÉTÉ NOUVELLE FIRMIN-DIDOT
Mesnil-sur-l'Estrée
en février 1997

Imprimé en France
Dépôt légal : février 1997
N° d'édition : 97PE17 – N° d'impression : 37279
ISBN : 2-84111-073-7